Bettina Lemke

Der kleine Taschenbuddhist

dtv

Ausführliche Informationen über
unsere Autoren und Bücher
www.dtv.de

Dieses Buch enthält einige traditionelle Meditationsübungen, die von Meditationsmeistern und Weisheitslehrern weitergegeben wurden. Grundsätzlich ist es ratsam, sich von einem erfahrenen Lehrer in die Meditation einweisen zu lassen. Die Autorin und der Verlag übernehmen keine Haftung für Schäden, die sich aus der Anwendung der in diesem Buch vorgestellten Übungen oder Empfehlungen ergeben.

Originalausgabe 2009
8. Auflage 2015
dtv Verlagsgesellschaft mbH & Co. KG, München
© dtv Verlagsgesellschaft mbH & Co. KG, München 2009
Das Werk ist urheberrechtlich geschützt. Sämtliche, auch auszugsweise Verwertungen bleiben vorbehalten.
Umschlagkonzept: Balk & Brumshagen
Satz: Greiner & Reichel, Köln
Druck und Bindung: Druckerei C.H.Beck, Nördlingen
Gedruckt auf säurefreiem, chlorfrei gebleichtem Papier
Printed in Germany · ISBN 978-3-423-34568-2

Toleranz, Mitgefühl, Gleichmut, Geduld, Disziplin, Entschlossenheit und Achtsamkeit: Das sind elementare
buddhistische Prinzipien, die dieser Ratgeber in knap-
pen Erläuterungen, lehrreichen Geschichten und kurzen
Zitaten veranschaulicht. Darüber hinaus zeigt er anhand
einer Reihe von praktischen Ratschlägen und Übungen,
wie man »buddhistisch« gelassen auf hektische oder belas-
tende Situationen im Alltag reagieren kann. Wie etwa lässt
sich eine Zwangspause kreativ nutzen oder ein schein-
bar unlösbares Problem durch einen einfachen Wechsel
der Perspektive beheben? Wie funktioniert die Liebende-
Güte-Meditation, die zum entspannten Umgang auch mit
schwierigen Menschen befähigt? Dieses Buch zeigt über-
raschend unkomplizierte Lösungen, die der Buddhismus
für die Wechselfälle des täglichen Lebens bereit hält.

Bettina Lemke, geboren 1966, lebt als Übersetzerin und freie
Lektorin in der Nähe von München.

Inhalt

∞ Nicht anhaften, Emmeram! ∞

Den Buddhismus studieren, ist das Selbst studieren. Das Selbst studieren, ist das Selbst vergessen. Das Selbst vergessen, ist mit anderen eins sein.

Zen-Meister Dogen

Mitgefühl und Weisheit

Eine der grundlegenden Botschaften des Buddhismus lautet, dass jedes Wesen auf dieser Welt sich davor fürchtet zu leiden. Das gilt selbstverständlich auch für uns Menschen. Gemeinsam ist uns zudem der Wunsch nach Zufriedenheit und Glück. Egal, wie wir zu anderen Menschen stehen, ob wir sie mögen oder unsere Probleme mit ihnen haben, wir streben alle nach Erfüllung und haben die gleiche Angst vor dem Leiden. Wir sitzen diesbezüglich im selben Boot. Sobald wir das erkennen, können wir anderen gegenüber Mitgefühl entwickeln und uns ihnen voller Anteilnahme und Wohlwollen zuwenden. Das Mitgefühl ist eines der Kernprinzipien des Buddhismus. Wenn wir nur dieses eine universelle Prinzip annähernd verinnerlichen und uns bemühen, es in unserem Leben anzuwenden, denken und handeln wir schon ziemlich buddhistisch und kommen, um es mit Buddhas Worten zu formulieren, dem höchsten Glück beziehungsweise unserer Befreiung ein ganzes Stück näher.

Neben dem Prinzip des Mitgefühls finden wir im Buddhismus viele weitere tiefe Wahrheiten, Inspirationen und wertvolle Hinweise, wie wir ein erfülltes Leben führen können. Darüber hinaus hält er sehr konkrete und praktische Tipps bereit, wie wir in ganz normalen Alltagssituationen reagieren können. Häufig sehen wir uns in unserem modernen Leben mit komplexen Anforderungen konfrontiert. Stress, Belastungen und Sorgen sind an der Tagesordnung und können zu einem Gefühl der Anspannung und Überforderung führen. Manchmal versäumen wir es auch einfach, einen Ausgleich zu suchen und uns zu entspannen. Auch wenn wir selbst ausgeglichen und positiv gestimmt sind, haben wir es immer mal wieder mit Menschen zu tun, die gereizt, frustriert oder abgespannt sind und ihre schlechte Laune an uns auslassen. Für all diese Fälle bietet der Buddhismus konkrete Hilfe. Einige Tipps lassen sich sofort umsetzen, andere – wie zum Beispiel bestimmte Meditationen – bedürfen einiger Übung, können dafür aber eine sehr nachhaltige und erhellende Wirkung haben.

Dieses Buch bietet eine kurze Einführung in elementare buddhistische Lehren – wie etwa die Vier Edlen Wahrheiten und den Edlen Achtfachen Pfad – und erläutert grundlegende Prinzipien wie etwa das karmische Gesetz von Ursachen und Wirkungen, die Vergänglichkeit aller Dinge, den ewigen Kreislauf von Tod und Wiedergeburt sowie das Prinzip der Achtsamkeit und Ausrichtung auf den gegenwärtigen Moment.

Vor diesem Hintergrund erschließen sich die Ratschläge und praktischen Tipps für den Alltag, die im zweiten Teil dieses Buches versammelt sind, auf einer tieferen Ebene. Sie unterstützen uns dabei, zu mehr Ausgeglichenheit, Klarheit und innerer Zufriedenheit zu gelangen.

In vielen alltäglichen Situationen können wir bereits mit

einer buddhistischen »Perspektivenverschiebung« eine Änderung unserer inneren Haltung erreichen und auf diese Weise viel gelassener werden. Häufig kann uns auch eine einfache Atem- oder Meditationsübung weiterhelfen. Die Meditation ist im Buddhismus ein außerordentlich wichtiges Instrument, daher enthält dieses Buch einige traditionelle Meditationsübungen, die von Meditationsmeistern und Weisheitslehrern weitergegeben wurden. Grundsätzlich ist es ratsam, sich von einem erfahrenen Lehrer in die Meditation einweisen zu lassen. Dies gilt besonders, wenn man intensiv üben und tiefe Einsichten erlangen möchte. Viele Fragen tauchen erst in der Praxis auf und können unter Anleitung eines Lehrers schnell geklärt werden.

Der Buddhismus bietet viele universelle Wahrheiten und praktische Übungssysteme, die unser Leben enorm bereichern können. Bei all dem sollten wir aber nie vergessen, dass Buddha seine Anhänger stets auf ihren eigenen kritischen Geist hingewiesen hat. Wir sollten jede Lehre und jede Anregung daraufhin prüfen, ob sie für uns heilsam und förderlich ist. Wenn das der Fall ist, können wir sie uns zu eigen machen und in die Praxis umsetzen. Darüber hinaus sollten wir den *Dharma*, Buddhas Lehre, als nützliches Hilfsmittel sehen. Buddha selbst verglich den Dharma mit einem Floß: »Ihr nutzt es, um über den Fluss zu kommen, aber wenn ihr sicher am anderen Ufer angekommen seid, lasst ihr es dort liegen – ihr tragt es nicht mit euch herum.« In diesem Sinne sollten Sie auch dieses Buch nutzen. Lassen Sie sich inspirieren und prüfen Sie stets, welche Empfehlungen Ihnen einleuchten. Und wenn Sie feststellen, dass Sie manches nicht mehr benötigen, werfen Sie einfach Ballast ab und trennen sich davon.

Noch eine Erläuterung zu den Illustrationen: Der den Zitaten beigegebene »endlose Knoten« ist ein Zeichen dafür, dass nach buddhistischer Auffassung alles mit allem zusammenhängt, und steht außerdem für die unendliche Weisheit Buddhas. Die praktischen Übungen werden begleitet von der Lotusblüte, die ein Symbol für die Reinheit des Geistes ist.

Beginnen wir unsere Reise in die Welt des Buddhismus nun also mit einem offenen, wachen Geist.

Vom Prinzen zum Erleuchteten

Siddhartha Gautama wurde vor 2500 Jahren in Nordindien geboren (ca. 563 v.Chr.). Im Pali, in der Sprache, in der Buddha vermutlich lehrte, heißt er Siddhatta Gotama. Er war der Sohn Suddhodanas, des Herrschers des Sakya-Reiches, und seiner Frau Mahamaya. Völlig sorgenfrei wuchs er in großem Reichtum im königlichen Palast auf. Sein Vater achtete streng darauf, dass es dem Prinzen an nichts mangelte und er keinerlei Elend oder Leid zu Gesicht bekam. Traditionsgemäß wurde Siddhartha bereits im Alter von 16 Jahren mit Prinzessin Yasodhara vermählt, die ihm einen Sohn, Rahula, schenkte.

Abgeschirmt von der wirklichen Welt drängte es Siddhartha danach, das wahre Leben außerhalb der Palastmauern kennenzulernen. In Begleitung eines Wagenlenkers zog er heimlich los und erkundete, was ihm bisher verborgen geblieben war. Auf seinen Ausflügen erblickte er – wie es ihm ein Priester vorhergesagt hatte – einen kranken, einen alten und einen toten Menschen. Da erkannte Siddharta, dass alles Leben von Leid geprägt ist, und angesichts dieser Erkenntnis war er nicht mehr in der Lage, sich an seinem behüteten, luxuriösen Dasein im Palast zu erfreuen. Als er schließlich bei einem Ausflug auf einen Wandermönch traf, der ein äußerst einfaches und zurückgezogenes Leben führte, fasste Siddhartha den Entschluss, als Asket in die Welt hinauszuziehen und sich auf die Suche nach einem Weg zur Beendigung des Leidens und zur Erleuchtung zu begeben.

Mit 29 Jahren schlich er sich aus dem Palast fort, tauschte seine feinen Gewänder gegen eine einfache Robe und zog fortan als Bettelmönch durchs Land. Die nächsten sechs Jahre ließ er sich von verschiedenen Weisheitslehrern unterweisen und übte sich darüber hinaus in strenger Askese. Doch all diese Bemühungen brachten ihn seinem Ziel, das Nirwana zu erreichen, nicht näher. Also gab Siddhartha das Fasten auf, kam wieder zu Kräften und begab sich dann zu einem Feigenbaum, der später als Bodhi-Baum (= Baum der Weisheit) bezeichnet wurde. Er setzte sich darunter und gelobte, sich erst wieder zu erheben, wenn er die Erleuchtung und damit das Nirwana erreicht habe. Unter dem Baum sitzend, begann er zu meditieren und kam in einen tiefen Versenkungszustand, in dem ihm wesentliche Erkenntnisse zuteil wurden. So erinnerte er sich an all seine früheren Existenzen und durchschaute den Kreislauf von Tod und Wiedergeburt. Im Laufe einer Nacht erlebte er schließlich vollkommene Erleuchtung und wurde somit zu Buddha, dem »Erwachten«. Im Anschluss an seine Erleuchtung meditierte er noch 49 Tage lang über die tiefen Wahrheiten, die sich ihm nach seiner intensiven Suche eröffnet hatten. Nach anfänglichem Zögern entschloss er sich, den *Dharma*, seine Lehre (Pali: *Dhamma*), an andere Menschen weiterzugeben. Während der nächsten 45 Jahre unterwies er seine Anhänger unermüdlich mit dem ihm eigenen grenzenlosen Mitgefühl und ging schließlich im Alter von 80 Jahren (ca. 483 v. Chr.) ins endgültige Nirwana, das sogenannte Parinirwana ein.

Die Natur des Geistes lässt sich mit dem Ozean oder dem Himmel vergleichen. Die nicht endende Bewegung der Wellen an der Meeresoberfläche verwehrt uns den Blick in die Tiefe. Wenn wir in ihn eintauchen, sind keine Wellen mehr vorhanden, nur noch die ungeheure Gelassenheit des Grundes.
Pema Wangyal Rinpoche

Die Schulen des Buddhismus

Im Buddhismus gibt es verschiedene Denksysteme und Überlieferungslinien. Sie lassen sich in zwei Hauptgruppen unterteilen: das sogenannte Kleine Fahrzeug, *Hinayana*, und das Große Fahrzeug, *Mahayana*. Zum Kleinen Fahrzeug gehört der Theravada-Buddhismus (die »Lehren der Älteren«), der vor allem in südostasiatischen Ländern wie Burma (Myanmar), Thailand, Laos und Kambodscha sowie in Sri Lanka verbreitet ist. Er entwickelte sich unmittelbar nach Buddhas Tod (ca. 483 v. Chr.) und besteht als einzige von insgesamt 18 Schulen, die in dieser Zeit entstanden, heute noch fort. Als sich im ersten Jahrhundert n. Chr. die Mahayana-Tradition entwickelte, zu der unter anderem auch der Zen-Buddhismus gehört, breitete sich der Buddhismus nach Ostasien und im Norden zum Himalaja aus. Heute wird das Mahayana vor allem in der Mongolei, China, Japan, Korea, Tibet und Vietnam praktiziert.

Im Hinayana steht die Befreiung des eigenen Selbst im Vordergrund, während die Anhänger der Mahayana-Tradition sich wünschen, dass alle Lebewesen vom Leiden erlöst werden. Daher spielt hier besonders das Ideal des »Bodhisattva« eine zentrale Rolle. Ein Bodhisattva ist ein Mensch, der nach Erleuchtung strebt, aber gelobt, nach Erreichen dieses Ziels nicht ins vollständige Nirwana einzugehen, sondern in die Welt zurückzukehren, um anderen Menschen dabei zu helfen, ebenfalls die Erleuchtung zu erreichen.

Eine weitere Schule, die ebenfalls zum Mahayana-Buddhismus gehört, ist der *Vajrayana*, auch Diamantfahrzeug oder Tantra genannt. Er entstand ab dem dritten Jahrhundert n. Chr. in Nordindien. Der Vajrayana erweiterte die bisherige Tradition des Mahayana um spezielle tantrische Techniken wie bestimmte Formen der Meditation oder das Rezitieren von Mantras, die den Anhängern ein schnelleres Erreichen der Erleuchtung ermöglichen sollen. Diese buddhistische Tradition wurde vor allem in Tibet weiterentwickelt und erreichte dort ihre Blüte. Heute ist sie darüber hinaus besonders in Nepal, China und Japan vertreten.

Ab dem 19. Jahrhundert begann man sich auch in Europa für den Buddhismus zu interessieren. Mittlerweile sind die drei buddhistischen Schulen Theravada, Mahayana und Vajrayana in der ganzen westlichen Welt verbreitet.

Die Weisheit Buddhas

All die schönen Dinge der Welt – süße Klänge,
liebliche Formen, all die wunderbaren Erfahrungen, die wir beim Tasten, Schmecken und
Denken machen – machen uns nur dann wirklich glücklich, wenn wir nicht an ihnen haften
und sie zu unserem Besitz machen wollen.
Wenn wir sie aber als Vergnügungen ansehen,
die nur uns zustehen, die nur uns befriedigen
sollen, wenn wir sie nicht als vorübergehendes
Wunder betrachten, dann bringen sie uns Leid.
Sei dir dieser paradoxen Wahrheit immer
bewusst, denn wenn du blind bist und nicht
erkennst, wie die Dinge wirklich sind, dann
wirst du nichts sehen können, nicht einmal,
wenn du auf der Spitze eines Berges stehst.
Buddha

Die Vier Edlen Wahrheiten

Im Zentrum der buddhistischen Lehre stehen die Vier Edlen Wahrheiten. Sie besagen, dass alles Leben von Leid geprägt ist, das Leid aber beendet werden kann, wenn wir seine Ursachen beseitigen und dem Edlen Achtfachen Pfad folgen, der zum höchsten Glück und zur Erleuchtung führt.

Die erste Edle Wahrheit: Die Welt ist voller Leiden

Buddha erkannte, dass uns das Leben in dieser Welt kein anhaltendes Glück und Wohlergehen bescheren kann. Wenngleich wir auch positive Erfahrungen machen und Momente der Freude und der Erfüllung erleben, sind wir immer wieder dem Leid, im Pali *Dukkha*, ausgesetzt. Buddha zufolge ist die Geburt Leiden, das Alter ist Leiden, Krankheit und Tod sind Leiden, Kummer, Trauer, Schmerz und Verzweiflung sind Leiden, sich vergeblich etwas zu wünschen oder aber etwas zu bekommen, was man nicht haben möchte, ist Leiden, von geliebten Menschen getrennt zu sein ist Leiden. Da wir, kurz gesagt, dazu neigen, an den Dingen anzuhaften und versuchen, sie mit aller Macht festzuhalten, machen wir immer wieder leidvolle Erfahrungen.

Das weltliche Dasein ist der Vergänglichkeit, im Pali *Annica*, ausgesetzt. Nichts auf dieser Welt, ob Positives oder Negatives, ist von Dauer. Und da auch Glück, Zufriedenheit und Harmonie flüchtig sind, werden wir immer wieder mit Enttäuschungen, Angst und Leid konfrontiert.

In dem Versuch, ihm zu entkommen, stürzen wir uns ins Leid. Wir streben zwar nach Glück, aufgrund unserer Unwissenheit zerstören wir es jedoch, als sei es unser Feind.
Shantideva

Die zweite Edle Wahrheit: Das Leiden hat eine Ursache

Der Ursprung des Leidens sind unsere Wünsche und unser Verlangen (Pali *Tanha* = Durst) sowie die daraus resultierende Anhaftung. Wir streben nach Dingen, die uns begehrenswert erscheinen, nach Besitz, Macht, Ruhm oder weltlichen Vergnügungen und klammern uns daran, weil wir nicht wahrhaben wollen, dass alles vergänglich ist. Ebenso wie wir an äußeren Objekten, Wahrnehmungen und Gedanken anhaften, hängen wir auch an der Vorstellung eines beständigen »Selbst« fest. Doch auch hier erliegen wir einer Täuschung unseres Geistes, denn das Selbst hat – genauso wie alle anderen Phänomene dieser Welt – keinen unveränderlichen Wesenskern, keine für sich bestehende Existenz. Es ist vielmehr eine Ansammlung körperlicher und geistiger Bestandteile, die abhängig von bestimmten Bedingungen entstehen und ständiger Veränderung unterworfen sind. Das, was wir als »Persönlichkeit« oder »Selbst« bezeichnen, ist nichts anderes als ein weiteres Phänomen, das wie die gesamte Wirklichkeit durch die unaufhörliche Kausalkette des »bedingten Entstehens« in jedem Moment neu erschaffen wird. Doch aufgrund unserer Unwissenheit beziehungsweise Verblendung erkennen wir unsere wahre Natur sowie die Natur aller Dinge nicht und versuchen verzweifelt gegen die Realität der Vergänglichkeit von Objekten, Gedanken und Gefühlen anzukämpfen. Wir haben eine feste Vorstellung von unserem »Selbst« und halten mit aller Macht daran fest. Zu dieser Vorstellung gehören Charaktereigenschaften und Wesensmerkmale, bestimmte Gewohnheiten, Vorlieben und Abneigungen sowie Wünsche und Bedürfnisse. All das und noch viel mehr macht unser Selbstverständnis aus.

Und da wir so sehr an der Vorstellung unseres »Selbst« mit all seinen Wünschen und Sehnsüchten festhalten, streben wir beständig danach, unser ichbezogenes Verlangen zu befriedigen, und im Gegenzug alles, was wir nicht haben wollen, von uns fernzuhalten. Das führt zwangsläufig zu Leid.

Es gibt Menschen, die leiden, ohne zu wissen warum. Sie wissen nicht, wie das Leiden entsteht, wann es endet und wie man es beenden kann. Sie wissen nicht, dass Anhaftung eine der Ursachen des Leidens ist. Die Menschen hängen an den Umständen ihres Lebens, sie halten sie mit Zähnen und Klauen fest. Doch gerade dies führt zu neuem Leid. Aus Unwissenheit versuchen sie, die Dinge festzuhalten, weil ihr Geist verwirrt und nicht klar ist. Könnten sie nur einmal aufhören, auf all ihre Impulse zu reagieren, könnten sie nur den Pfad der Weisheit einschlagen und die Anhaftung aufgeben, dann würden sie nicht mehr leiden.

Buddha

Die dritte Edle Wahrheit: Das Leiden kann beendet werden

Wir können *Dukkha* beenden, indem wir uns von unserer Anhaftung und unserem Verlangen lösen. Wenn wir nicht länger an der Illusion unseres »Selbst« festhalten, uns der Veränderlichkeit aller Dinge bewusst werden und unser egoistisches Streben, unsere Wünsche und Begierden aufgeben, ist es uns möglich, das Nirwana (Pali *Nibbana* = Erlöschen) zu erreichen. Das Nirwana lässt sich nur schwer beschreiben, da es die Vorstellungswelt derjenigen, die es noch nicht erlebt haben, übersteigt. Es ist ein Zustand, in dem jegliches Verlangen erloschen ist, in dem es keine Illusionen und keinen Hass mehr gibt. Es ist die Befreiung aus dem endlosen Kreislauf von Tod und Wiedergeburt (siehe auch »Reinkarnation«, S. 35), die Erlösung von allem Leid und die reinste und höchste Form des Glücks, die ewigen Frieden bringt.

Die vierte Edle Wahrheit: Es gibt einen Weg zur Beendigung des Leids

Das Nirwana lässt sich nur durch die Erleuchtung erreichen. Und zur Erleuchtung können wir gelangen, wenn wir dem Edlen Achtfachen Pfad folgen. Er bietet uns eine konkrete Anleitung, wie wir unsere spirituelle Entwicklung fördern, um uns von unserem Verlangen, unserer Anhaftung und somit letztlich von allem Leid zu befreien. Der Edle Achtfache Pfad wird auch als »Mittlerer Weg« bezeichnet, da es ein ausgeglichener Weg ohne Extreme ist. Buddha wuchs in Reichtum und einem paradiesischen Umfeld voller Vergnügungen auf. Doch er wandte sich von diesem Leben ab und übte sich auf der Suche nach Erkenntnis in strenger Askese. Dann erkannte er, dass auch dieser Weg ihn nicht weiterbrachte. Er begriff, dass weder das eine noch das andere Extrem zur Erleuchtung führt, und empfahl seinen Anhängern den Mittleren Weg, *Majjhima Patipada*, da dies der fruchtbarste Pfad zu innerer Ruhe und Weisheit ist. Er setzt sich aus acht Elementen beziehungsweise Gliedern des Achtfachen Pfads zusammen.

Dies ist der mittlere Pfad, der wahre Pfad,
denn kein anderer führt
zur Reinheit der Sichtweise.
Folgst du ihm,
findet dein Leiden ein Ende.
Seit ich weiß, wie man das Leid
der Täuschungen beseitigt, lehre ich den Pfad.
Doch musst du selbst dich bemühen,
denn der Buddha kann den Weg nur lehren.
Wer in Achtsamkeit wandelt,
befreit sich von den Fesseln des Selbst.
Buddha

Der Edle Achtfache Pfad

Der Edle Achtfache Pfad gibt uns konkrete Leitlinien vor, an denen wir unser Denken und Handeln ausrichten können. Dabei bauen die einzelnen Schritte nicht in der Weise aufeinander auf, dass man sich unbedingt nacheinander mit ihnen befassen sollte. Alle Aspekte sind gleich wichtig und ergänzen einander. Idealerweise versucht man, die Anweisungen in ihrer Gesamtheit zu beachten und auf diese Weise auf dem Weg voranzukommen. Die Illustration auf Seite 19 stellt das Rad der Lehre dar. Seine acht Speichen symbolisieren die Glieder des Achtfachen Pfades.

Der Edle Achtfache Pfad setzt sich aus folgenden Gliedern zusammen:

1 Rechte Einsicht
2 Rechtes Denken
3 Rechte Rede
4 Rechtes Handeln
5 Rechter Lebenserwerb
6 Rechtes Streben
7 Rechte Achtsamkeit
8 Rechte Meditation

Bei der Rechten Einsicht handelt es sich um die Fähigkeit, die Wirklichkeit so zu sehen, wie sie tatsächlich ist – und nicht etwa durch den Schleier unserer Vorlieben oder Abneigungen, nicht durch unsere Gefühle, Wünsche und Vorstellungen verfälscht und nicht durch die untaugliche Brille, die unser Ego uns aufsetzt. Wenn wir zur Rechten Einsicht gelangen, entwickeln wir ein tiefes Verständnis der Vier Edlen Wahrheiten und weiterer buddhistischer Prinzipien wie zum Beispiel des Karmas.

Mit dem Rechten Denken, häufig auch als Rechte Gesinnung bezeichnet, fördern wir die Befreiung des Geistes. Wir versuchen uns nicht vom Verlangen dominieren zu lassen und bemühen uns, schädliche Gedanken wie Gier oder Hass zu vermeiden und Wohlwollen und Mitgefühl anderen gegenüber zu entwickeln.

Mit der Rechten Rede, dem Rechten Handeln und dem Rechten Lebenserwerb verfolgen wir das Ziel, uns ethisch gut zu verhalten sowie Herz und Geist zu reinigen. Diese Glieder des Pfads beinhalten konkrete Verhaltensregeln. So sollen wir nicht lügen, uns nicht mit Klatsch und Tratsch aufhalten und auf eine Weise mit anderen sprechen, dass wir Harmonie erzeugen. Außerdem sollen wir nicht stehlen oder töten und sexuelles Fehlverhalten vermeiden (dazu gehört zum Beispiel sexueller Missbrauch). Nach Möglichkeit sollten wir auch unseren Lebensunterhalt mit Tätigkeiten verdienen, die nicht im Widerspruch zum ethischen Handeln stehen und idealerweise für die Gesellschaft förderlich sind – ihr aber zumindest nicht schaden.

Das sechste Element des Pfads, das Rechte Streben, hält

uns dazu an, uns auf unsere innere Arbeit zu konzentrieren und unsere spirituelle Entwicklung voranzubringen, indem wir unheilsame Geistesinhalte abwehren und positive Geisteszustände fördern.

Mit der Rechten Achtsamkeit versuchen wir, in jedem Moment präsent zu sein, unsere Aufmerksamkeit auf das Hier und Jetzt zu richten und folglich jede Tätigkeit bewusst auszuführen sowie jede Sinnesempfindung und jeden Gedanken wahrzunehmen, sobald sie entstehen.

In der Rechten Meditation bündeln wir unsere Aufmerksamkeit auf einen Punkt. Wir üben uns in der sogenannten Einspitzigkeit des Geistes. Wenn wir diese geistige Übung vollkommen beherrschen, erreichen wir einen Zustand tiefster Versenkung, der am Ende zur Erleuchtung und damit zur Befreiung führt.

Der Achtfache Pfad lässt sich in drei Hauptbereiche unterteilen. Dabei werden die ersten beiden Glieder als *Weisheit* bezeichnet. Sie ist die Basis für den zweiten Bereich des Weges, das *ethische Handeln*. Dazu gehören die Elemente Rechte Rede, Rechtes Handeln und Rechter Lebenserwerb. In der letzten Gruppe geht es um das Geistestraining. Sie setzt sich aus Rechtem Streben, Rechter Achtsamkeit sowie Rechter Meditation zusammen. Dieser letzte Bereich wird als *Sammlung* bezeichnet.

Wer bereitwillig gibt, wird von allen geliebt. Es
ist schwer zu begreifen, doch gewinnt man durch
Geben Stärke. Wer sich in der Tugend des Gebens
üben will, sollte dies aber zum richtigen Zeitpunkt
und auf die richtige Art und Weise tun. Wer das
versteht, ist stark und weise. Gibt man mit einem
Gefühl der Achtung vor allem Leben, werden
Zorn und Neid gebannt, und man findet den Weg
zur Glückseligkeit. Wie jemand, der einen Baum
pflanzt, zur gegebenen Zeit von diesem Baum
Schatten, Blüten und Obst zum Geschenk erhält,
so erntet jemand als Folge seines Gebens Freude.
Der Weg zur Freude führt über ständige Akte der
Freundlichkeit, sodass das Herz durch Mitgefühl
gestärkt wird.
Buddha

Mitgefühl

Eines der Kernelemente der buddhistischen Lehre ist das Mitgefühl. Wenn es uns gelingt, ein von Altruismus geprägtes Leben zu führen und anderen Menschen positiv, mitfühlend und liebevoll zu begegnen, befreien wir Buddha zufolge unseren Geist.

Er fordert uns dazu auf, unheilsame oder zerstörerische Verhaltensweisen zu vermeiden und die sogenannten »Erhabenen Verweilzustände«, auf Pali die *Brahmaviharas*, anzustreben. Dazu gehören *Metta*, die Liebende Güte, *Karuna*, das Mitgefühl, *Mudita*, die Mitfreude und *Upekkha*, der Gleichmut.

Metta, das Gefühl selbstloser Liebe und Güte, ist von dem Wunsch geprägt, dass es allen Wesen gut gehen möge. Wir wissen, wie schwer es sein kann, Leid zu ertragen, und fürchten uns davor. Und wir streben danach, glücklich zu sein. Aus dem Bewusstsein heraus, dass alle Lebewesen in dieser Hinsicht gleich empfinden, entwickeln wir Liebende Güte und wünschen ihnen nur das Beste.

Karuna, das Mitgefühl, entsteht angesichts des Leids anderer. Hat sich beispielsweise ein uns nahestehender Mensch schwer verletzt oder leidet er unter großem Kummer, empfinden wir Empathie und sind ihm zugewandt. Von ganzem Herzen wünschen wir ihm, er möge wieder gesund werden beziehungsweise seinen Kummer überwinden.

Mudita ist die Mitfreude über das Glück oder den Erfolg anderer und das Gegenteil von Neid oder Missgunst. Sich ehrlich darüber zu freuen, wenn anderen Menschen etwas gelingt, und es ihnen zu gönnen, wenn sie erfüllt und glücklich sind, fällt vielen häufig schwer, ist aber ein weiterer wichtiger Schritt auf dem buddhistischen Pfad.

Upekkha, der Gleichmut, beschreibt die Haltung, die es uns ermöglicht, vorurteilsfrei mit anderen Menschen umzugehen und innerlich ruhig und ausgeglichen zu bleiben, wenn wir schwierigen Personen begegnen oder mit Lebensveränderungen fertig werden müssen.

Sobald wir Anteilnahme gegenüber anderen empfinden, haben Gefühle wie Wut, Egoismus und Neid keinen Platz mehr. Mithilfe der Bramaviharas können wir das Zusammenleben mit unseren Mitmenschen daher nicht nur harmonisch und friedvoll gestalten, sie weisen uns auch den Weg zu innerer Ruhe und letztlich zur Befreiung von Kummer und Leid, denn die Erhabenen Verweilzustände gelten als natürlicher Aufenthaltsort eines erwachten Herzens.

Die Mönche und die Baumgeister

Einmal kamen einige Mönche zum Buddha, die sich während der Regenzeit zur Kontemplation in den Wald zurückgezogen hatten. Da sie dort von furchterregenden Baumgeistern in Angst und Schrecken versetzt wurden, baten sie den Buddha, ihnen einen anderen Ort zu nennen, an dem sie ihrer Kontemplation ungestört nachgehen konnten. Der Buddha aber wies die Mönche darauf hin, dass sie die lästigen Baumgeister nur loswerden konnten, wenn sie sich ihrer Angst stellten. Er forderte sie dazu auf, in den Wald zurückzukehren und über die universelle Liebe zu meditieren. Die Mönche taten, was Buddha ihnen empfohlen hatte. Während der Meditation entwickelten sie daraufhin so viel Liebe, dass die Baumgeister sie nicht länger terrorisierten und die Mönche von nun an sogar beschützten.

Weil wir vier Dinge nicht begriffen und
sie uns nicht zu eigen gemacht haben,
wandern du und ich immer noch durch
den Daseinskreislauf. Welche vier Dinge
sind das? Güte, Konzentration, Weisheit
und Befreiung. Verstehen wir diese vier
Dinge aber, durchdringen wir sie ganz,
dann verlieren wir die Lust auf eine ober-
flächliche Existenz. Das, was zur ständigen
Wiedergeburt im Kreislauf der Leben führt,
findet dann ein Ende. Dann werden wir
nicht mehr ständig dahinwandern.
Buddha

Reinkarnation

Der Lehre Buddhas zufolge sind wir in unserem jetzigen Leben nicht zum ersten Mal auf der Welt. Und auch nach unserem Tod werden wir wiedergeboren. Wir befinden uns im *Samsara* (wörtlich »Wanderung«), der »bedingten Existenz«, dem endlosen Kreislauf von Tod und Wiedergeburt. Während unserer früheren Leben haben wir durch unser Denken und Handeln positives und negatives Karma angesammelt (siehe auch S. 39). Jede Reinkarnation hängt davon ab, zu welchen karmischen Veränderungen es in den früheren Leben gekommen ist. So können wir in verschiedene Daseinsbereiche hineingeboren werden. Manche davon sind angenehm und kostbar, andere dagegen bringen sehr leidvolle Erfahrungen mit sich. Die Tatsache, dass wir als Menschen zur Welt gekommen sind, gilt nach buddhistischem Verständnis als »kostbare Geburt«, als glücklicher Umstand, denn im Gegensatz zu Tieren etwa, die sich auf einer niedrigeren Existenzebene befinden, haben wir die wertvolle Möglichkeit, den ewigen Daseinskreislauf zu durchbrechen und ins Nirwana (Pali: *Nibbana*), den bedingungslosen Zustand einzugehen (siehe auch S. 24). Allerdings können wir das Samsara erst verlassen, wenn wir unsere Unwissenheit überwinden, nicht länger an den Dingen anhaften und somit die Erleuchtung erreichen.

Wenn wir erwacht sind, können wir uns der buddhistischen Mahayana-Tradition zufolge auch für den Weg des Bodhisattva entscheiden (siehe auch S. 16). In diesem Fall bleiben wir freiwillig auf der menschlichen Existenzebene und helfen allen Wesen dabei, erleuchtet zu werden.

Die höchste Erkenntnis zu erreichen, ist natürlich ein hohes Ziel, aber es lohnt sich in jedem Fall, ethisch gut zu leben sowie Mitgefühl und Weisheit zu entwickeln. Auf diese Weise fördern wir positives Karma und schaffen günstige Umstände für unser nächstes Leben.

Der klare, ruhige, makellose, mondgleiche Zustand, in dem die Fesseln des Dies-oder-Jenes-Sein-Wollens eine nach der anderen abgefallen sind – dies nenne ich Weisheit. Derjenige, der über den rauen und gefährlichen Zyklus der Illusion und Wiedergeburt hinausgelangt ist, der diesen Kreislauf hinter sich gelassen hat, derjenige, der gesammelten Geistes ist sowie frei von Anhaftung und Zweifeln – er ist wahrhaft weise.

Buddha

Der Weg zum Nirwana

Ein Brahmane fragte einst den Buddha: »Da das Nirwana doch existiert und es einen Weg dorthin gibt, den du zeigen kannst, wie kommt es dann, dass einige deiner Anhänger es erreichen, andere aber nicht?«

»Stell dir vor, Brahmane, ein Mann käme zu dir und würde dich fragen, welcher Weg nach Rajgir führt. Doch obwohl du dem Mann den Weg gut beschreibst, läuft er vielleicht stattdessen nach Westen, ein anderer Mann aber, der euch zugehört hat, folgt deinen Anweisungen und gelangt ganz richtig nach Rajgir. Da Rajgir also existiert und der Weg nach Rajgir existiert und du den Weg dorthin weißt, weshalb glaubst du, hat der eine Mann den falschen Weg genommen, der andere aber den richtigen?«

»Nun, damit habe ich doch nichts zu tun. Ich habe ihnen ja nur den Weg gezeigt.«

»Genau. Obwohl das Nirwana existiert und es den Weg dorthin gibt und ich, der ich diesen Weg zeigen kann, ebenfalls existiere, werden einige meiner Schüler das unveränderliche Ziel erreichen, andere nicht. Und es gibt nichts, was ich daran ändern könnte. Alles, was ich tun kann, ist, ihnen den Weg zu zeigen.«

Willst du deine Vergangenheit
kennen, willst du wissen, was dich
geschaffen hat, dann betrachte
dich selbst in der Gegenwart, denn
sie ist das Resultat deiner Vergangenheit. Willst du deine Zukunft
kennen, dann betrachte dich selbst
in der Gegenwart, denn sie ist die
Ursache deiner Zukunft.
Buddha

Karma

Karma (Pali: *Kamma* = Handlung) beschreibt das Prinzip der Kausalität in Bezug auf unser ethisches Verhalten. Wir möchten alle glücklich sein. Allerdings handeln wir im Leben häufig auf eine Weise, die negative Konsequenzen in unserem Geist und unserem Umfeld zur Folge hat. Die Auswirkungen unseres Denkens und Tuns sind die Ursache für unser Leid und unser Unglück. Doch das karmische Prinzip hat nichts mit einem System der Strafe zu tun, sondern entspricht vielmehr der Vorstellung, dass wir ernten, was wir säen. Es ist das Gesetz von Ursache und Wirkung. Wir häufen in unserem Leben gutes oder schlechtes Karma an, je nachdem, ob wir negativ oder positiv handeln. Wenn wir uns beispielsweise selbstlos, uneigennützig und achtsam verhalten, können wir negatives Karma in diesem Leben löschen und so günstige Bedingungen für unser nächstes Leben schaffen, denn bei der Reinkarnation spielen die karmischen Kräfte eine große Rolle. Das bedeutet für unser jetziges Leben, dass wir unser Karma zwar geerbt haben, ihm aber nicht einfach ausgeliefert sind, denn wir können unser Schicksal beeinflussen. Wir sollten uns darum bemühen, negative Aspekte unseres Selbst zu überwinden, schädliche Handlungen nach Möglichkeit vermeiden und uns darauf ausrichten, Weisheit und Liebe zu entwickeln.

Auf diese Weise können wir eine bessere »Karmabilanz« in unserem Leben erreichen.

Alles, was wir denken und tun, setzt etwas anderes in Bewegung. Das karmische Gesetz ist immer aktiv, daher entfaltet sich unser Karma ständig weiter. Allerdings wirken die karmischen Gesetzmäßigkeiten nicht unbedingt linear. Und so zeigt sich die Wirkung einer guten Tat nicht zwangsläufig in diesem oder im nächsten Leben. Vielmehr ist jede unserer Handlungen wie ein Same, den wir aussähen. Dieser Same benötigt ganz bestimmte Bedingungen, um zu keimen und zu einer Pflanze heranzuwachsen. Erst wenn diese Bedingungen gegeben sind, wird der Same einen Spross bilden. Daher kommt in unserem Leben eine Vielzahl von Ursachen und Bedingungen zum Tragen, die wir nicht durchschauen können. Oder anders ausgedrückt: Wir können aufgrund der Verblendung unseres Geistes nicht erkennen, welche Samen in unserem Leben aufgehen und warum bestimmte Wirkungen für uns sichtbar oder spürbar werden. Nur erleuchtete Wesen sind nach buddhistischer Überzeugung in der Lage, das Zusammenwirken aller Ursachen und Bedingungen zu erfassen. Daher beobachten wir als »Nicht-Erleuchtete« immer wieder Szenarien, die uns bei einer oberflächlichen Betrachtung zwar unlogisch erscheinen mögen, bei einem tieferen Verständnis der karmischen Zusammenhänge aber durchaus plausibel sind. So kann etwa ein Mensch, der häufig unethisch handelt und großen Schaden anrichtet, ein Leben führen, das er selbst als sehr zufriedenstellend empfindet. Vielleicht hat er eine nette Familie, einen guten Job, ist wohlhabend und gesund … Doch möglicherweise hat er die Ursachen für all das bereits in einem früheren Leben geschaffen. Es ist sinnlos, darüber zu spekulieren, auf welche Weise oder wann die Wirkung unserer Handlungen zum Tragen kommen wird. Überaus sinnvoll ist es jedoch, uns darüber im Klaren zu sein, dass all unsere Taten Konsequenzen haben. Mit unserem jetzigen Verhalten gestalten wir unsere Zukunft. Dabei spielt die Absicht, mit der wir etwas tun, eine große Rolle. Wenn wir einem Wesen unabsichtlich schaden, wenn wir zum Beispiel ungewollt auf ein Insekt treten, erzeugt das kein negatives Karma – im Gegensatz zu einem Verhalten, das von Gier, Zorn, Unwissenheit, Neid oder Stolz geleitet ist. Das karmische Gesetz hält uns dazu an, möglichst achtsam zu leben und uns unserer Absichten und Taten bewusst zu sein. Und da Großherzigkeit und Mitgefühl positives Karma fördern, weiß man im Buddhismus eigentlich ganz genau, was man zu tun hat, wenn man sein Leben positiv beeinflussen und günstige Bedingungen für das nächste schaffen möchte.

In steter Veränderung ist diese Welt.
Wachstum und Verfall sind ihre wahre Natur.
Die Dinge erscheinen und lösen sich wieder auf.
Glücklich, wer sie friedvoll einfach nur betrachtet.
Buddha

Vergänglichkeit und Tod

Buddha erkannte, dass in der Welt, wie wir sie kennen, im *Samsara*, alles vergänglich ist. Alles ist ständig im Fluss, jeder Mensch und jedes Objekt entsteht und vergeht wieder, jeder Gedanke und jedes Gefühl ist flüchtig. Alles ist ein einziger Strom aus sich verändernden Phänomenen.

Wir Menschen versuchen häufig, das Vergängliche festzuhalten, uns gegen Veränderungen zu wehren. Doch dem Buddha zufolge führt das zu Leid und Enttäuschung, da es ein aussichtsloses Unterfangen ist. Wir müssen uns der Realität der Vergänglichkeit bewusst werden und lernen, uns von der Anhaftung zu lösen. Dabei gehört es zu den schwierigsten Herausforderungen, uns mit dem Tod auseinanderzusetzen, der wohl größten Veränderung, die unweigerlich auf jeden von uns zukommt.

Keiner von uns weiß, wann der Tod uns ereilen wird, doch es kann früher der Fall sein, als wir denken. Gelingt es uns, die Wahrheit der Vergänglichkeit und somit auch die Begrenztheit des eigenen Lebens in ihrer ganzen Tiefe zu akzeptieren, können wir jeden Augenblick, der uns geschenkt wird, viel mehr schätzen. Vielleicht lassen wir die Zeit dann nicht mehr so oft unbewusst verrinnen und widmen uns konsequenter den Dingen, die uns wirklich wichtig sind, anstatt sie immer wieder auf einen späteren

Zeitpunkt zu verschieben. Aus buddhistischer Perspektive erhalten wir angesichts dieser Erkenntnis einen ganz klaren Auftrag: Wir sollten unsere Zeit nutzen, um ein gutes Leben zu führen, auf dem Pfad der Erkenntnis vorankommen und zum Glück anderer Menschen beitragen. Wenn wir dieses Ziel unbeirrt verfolgen, können wir zum Zeitpunkt unseres Todes auf unser Leben zurückblicken, ohne bedauern zu müssen, das Wesentlichste versäumt zu haben.

Im Buddhismus ist der Tod nicht vom Leben getrennt, denn im Tod beginnt gleichzeitig auch das Leben. Er ist eine Neugeburt. Daher kann man sich den Tod und die Geburt als ein und dieselbe Tür vorstellen, die stets offen steht. Im Augenblick des Todes verschmelzen das Ende und der Ursprung des Lebens miteinander.

Der buddhistischen Lehre zufolge sollten wir jeden Tag auf unseren eigenen Tod vorbereitet sein. Wenn wir darauf gefasst sind, wenn wir uns bewusst mit dem Gedanken daran befassen, kann es uns gelingen, die Angst davor zu überwinden. Bedeutet der Tod für uns nicht das Ende des Lebens, verliert er seinen Schrecken. Daher ist es nur logisch, dass der Buddhismus uns dazu anhält, den Tod als einen Freund willkommen zu heißen. Wir sollten ihn annehmen und erkennen, dass wir uns schon im Leben damit vertraut machen können – etwa, indem wir über ihn meditieren –, denn dann kann er sich uns auf eine freundliche Weise offenbaren. Und wenn wir keine Angst mehr vor dem Tod haben, können wir uns dem Leben freudvoller öffnen, ohne Aggression und Furcht leben und leichter einen Zugang zu höheren Ebenen der Existenz finden.

Diese Haltung gegenüber dem Tod ermöglicht uns überdies, auf eine neue, sehr tröstliche Weise mit dem Verlust von geliebten Menschen umzugehen.

Im zweiten Teil dieses Buches, der viele praktische Übungen und Tipps für den Alltag enthält, finden Sie eine buddhistische Meditationsübung, die Sie dafür nutzen können, um sich mit dem Gedanken an die eigene Vergänglichkeit anzufreunden (siehe S. 107).

Was ist das Unveränderliche, das wir im Tod wiederfinden? Das Leuchten des Seins, die Sonne des Ursprungs. Solange du den Tod nicht annimmst, bleibst du unvollendet, deiner tiefsten Natur, deines ewigen Bewusstseins beraubt. Die Lebensangst und die Todesangst machen das Glück unmöglich.

Drukpa Rinpoche

Buddhistisch handeln im Alltag

Wird dein Geist fest wie ein Felsen
und verweilt unerschütterlich
in einer Welt, in der alles sich bewegt,
dann ist der Geist dein bester Freund,
und kein Leiden wird sich dir nähern.
Buddha

Die Kraft der Entspannung

Eine regelmäßige Meditationspraxis hat vielfältige Wirkungen. Sie kann uns von negativen Gedanken befreien und zu einer positiven geistigen Entwicklung führen, sodass wir insgesamt ausgeglichener, innerlich ruhiger und belastbarer werden. Wissenschaftliche Untersuchungen haben zudem gezeigt, dass die Meditation sich auch auf die körperliche Gesundheit auswirkt. So kann sie zum Beispiel Stress reduzieren, das Immunsystem stärken, die Neigung zu Depressionen verringern oder etwa Bluthochdruck entgegenwirken.

Um diese gesundheitlichen Effekte zu erreichen, bedarf es einer gezielten anhaltenden Meditationspraxis. Doch selbst wenn man nicht so intensiv einsteigen will – jede auch noch so kurze Meditation ist eine kleine Auszeit von einem anstrengenden Tag, ungelösten Problemen, die uns Kopfzerbrechen bereiten, ungeduldigen oder fordernden Familienmitgliedern, Chefs und anderen Menschen oder sonstigen stressigen Alltagssituationen.

Mit einer Meditation schaffen wir uns eine Insel der Ruhe. Hier können wir unsere Gedanken ausrichten, uns neu sammeln, unsere Konzentrationsfähigkeit und Aufmerksamkeit steigern und neue Energie tanken.

Es ist ganz einfach. Wir müssen es nur tun.

Im Buddhismus spielt die Meditation eine zentrale Rolle für die spirituelle Entwicklung. Sie dient dazu, den Geist zur Ruhe zu bringen sowie Achtsamkeit und eine tiefe Versenkung zu fördern. Auf diese Weise können die Übenden einen Zustand wahrer Freude, Liebe und Klarheit erreichen, der sie dem höchsten buddhistischen Ziel näherbringt – der Erleuchtung.

Ob Sie nun für sich persönlich das hehre Ziel der Erleuchtung anstreben oder lediglich auf der Suche nach wirksamen Übungen sind, die Sie im Alltag einsetzen können, um sich zu entspannen, besser mit Anforderungen und Problemen fertig zu werden oder um offener und wohlwollender mit Ihren Mitmenschen umzugehen – der Buddhismus bietet überaus wertvolle Hinweise und Übungsinstrumente, die sich wunderbar in den Alltag integrieren lassen. Auf den folgenden Seiten werden einige Meditationstechniken vorgestellt, die auch für Anfänger gut geeignet sind.

Die Atemmeditation auf Seite 55 ist eine sehr grundlegende Übung, auf der weitere Meditationsformen aufbauen, mit denen wir uns in späteren Kapiteln befassen werden. Falls Sie diese gern ausprobieren möchten, sollten Sie daher zunächst die Atemmeditation praktizieren und erst in einem zweiten Schritt zu den anderen Meditationen übergehen.

Ein schnelles Mittel gegen Stress und Ärger

Die folgende Lächelmeditation ist eine einfache Übung und für all diejenigen geeignet, die wenig Zeit haben oder nicht unbedingt tiefer in die Meditationspraxis einsteigen wollen. Sie lässt sich in nur einer Minute an vielen Orten durchführen, ob im Büro, zu Hause, im Bus oder auf einer Parkbank.

Immer wenn Sie einen kleinen Energieschub benötigen, wenn es mal wieder hektisch zugeht oder Sie sich über irgendetwas geärgert haben, hilft es, sich für einen kurzen Moment aus dem Alltag auszuklinken, um sich neu zu sammeln und positiv aufzuladen.

Setzen Sie sich locker und aufrecht auf einen Stuhl.

Die Füße stehen etwas auseinander, aber fest auf dem Boden. Die Hände liegen auf den Oberschenkeln nach oben geöffnet. Die Schultern sind entspannt.

Schließen Sie die Augen.

Atmen Sie nun tief in Ihren Bauch hinein … und wieder aus. Spüren Sie dabei, wie sich Ihre Bauchdecke hebt und senkt.

Atmen Sie erneut tief ein … und wieder aus … Und mit dem nächsten Einatmen … lächeln Sie.

Halten Sie Ihr Lächeln, während Sie wieder ausatmen. Und halten Sie es auch weiter, während Sie wieder einatmen … und ausatmen …

Und ein letztes Mal – einatmen und wieder ausatmen.

Öffnen Sie nun die Augen und lächeln Sie sich und der Welt weiterhin zu.

Probieren Sie es aus. Sie werden überrascht sein, welch positive Wirkung diese einfache Übung hat.

Falls Sie sich nun noch etwas intensiver auf die Meditation einlassen möchten, finden Sie im nächsten Abschnitt einige grundlegende Hinweise zur Vorbereitung sowie zur richtigen Meditationshaltung, die man beim längeren Üben einnehmen sollte.

Vorbereitung auf die Meditation

Suchen Sie nach Möglichkeit einen ruhigen Ort auf, an dem Sie nicht gestört werden. Tragen Sie bequeme lockere Kleidung. Nehmen Sie nun eine angenehme Meditationshaltung ein. Für Ungeübte empfiehlt es sich, auf einem Stuhl zu sitzen. Der Rücken ist dabei gerade. Die Hände liegen mit den Handflächen nach unten flach auf den Oberschenkeln. Die Fußsohlen stehen fest auf dem Boden. Die Schultern sind entspannt und leicht nach hinten genommen. Der Kopf ist etwas nach vorne geneigt. Die Augen sind halb geschlossen und blicken entspannt zu Boden, ohne etwas zu fixieren. Wenn Sie das anfangs zu sehr ablenkt, können Sie Ihre Augen zur besseren Versenkung auch ganz schließen und im Laufe Ihrer Meditationspraxis üben, sie offenzuhalten. Das Gesicht ist entspannt und die Zungenspitze liegt locker oben am Gaumen hinter der oberen Zahnreihe.

Halber und ganzer Lotussitz

Wenn es Ihnen bequem genug ist, können Sie sich auch mit gekreuzten Beinen auf ein Kissen auf dem Boden setzen. Praktizierende, die bereits viel Übung haben, nehmen gern den traditionellen Lotussitz ein (nur für Menschen ohne Knieprobleme!). Setzen Sie sich dazu ebenfalls auf ein Kissen auf dem Boden, sodass das Gesäß leicht erhöht ist. Legen Sie zunächst den linken Fuß auf den rechten Oberschenkel und dann den rechten Fuß auf den linken Oberschenkel. Weniger extrem ist der halbe Lotussitz, der sich für den Anfang empfiehlt, um sich langsam an den ganzen Lotussitz zu gewöhnen. Dabei legen Sie die rechte Fußsohle zunächst gegen das linke Schienbein und allmählich, wenn Sie gut genug gedehnt sind, an die Innenseite des linken Oberschenkels. Erst wenn Sie mühelos und entspannt in dieser Haltung sitzen können, versuchen Sie den vollständigen Lotussitz einzunehmen. Auf Seite 47 finden Sie eine Darstellung der perfekten Haltung.

Legen Sie in beiden Sitzpositionen die Hände vor dem Bauchnabel in der Geste des Gleichmuts ineinander. Die rechte Hand liegt dabei über der linken, die Handflächen zeigen nach oben und die Daumen berühren sich leicht. Achten Sie auch bei den Sitzpositionen auf dem Boden darauf, dass Ihr Rücken gerade ist und Ihre Schultern entspannt sind, damit die Energie im Körper gut fließen kann und der Geist klar wird.

Wichtiger Hinweis: Arbeiten Sie beim Üben stets sanft. Zwingen Sie sich keinesfalls mit Gewalt in eine unbequeme Haltung hinein, Sie könnten Ihren Muskeln und Gelenken damit großen Schaden zufügen. In erster Linie kommt es bei der Meditation auf eine bequeme Position an, damit der Atem frei fließen kann.

Generell gilt: Wenn man bei der Meditation Fortschritte machen möchte, ist regelmäßiges Üben wichtiger als die Dauer der einzelnen Sitzungen.

Kommen wir nun zur Atemmeditation. Diese Übung ist eine Grundlage für viele weitere Meditationstechniken.

> Gehe dorthin, wo du allein bist, und übe dich auf solche Weise: Wenn du einatmest, sei dir bewusst, dass du einatmest. Wenn du ausatmest, sei dir bewusst, dass du ausatmest. Wenn du dies beherzigst und übst, wird das von großem Nutzen sein. Wo du auch bist und was du auch tust, stets wirst du Ruhe, Stetigkeit und Sammlung finden, wenn du dich in der Achtsamkeit auf den Atem schulst.
> *Buddha*

Den Geist zur Ruhe bringen – die Atemmeditation

Nehmen Sie eine angenehme Meditationshaltung ein. Wenn Sie möchten, können Sie den Körper vorher etwas lockern, indem Sie sich zum Beispiel etwas strecken und dehnen, Ihre Arme und Beine ausschütteln oder sanft mit dem Kopf kreisen.

Richten Sie Ihre Aufmerksamkeit nun entspannt auf Ihren Atem. Beobachten Sie, wie er durch Ihre Nase ein- und ausströmt. Spüren Sie den leichten Luftzug an der Nase, in der Nase und an der Oberlippe. Versuchen Sie nicht, den Atemfluss zu steuern. Lassen Sie den Atem einfach kommen und gehen … achten Sie auf die Pause zwischen dem Ausatmen und dem Einatmen … spüren Sie, wie die Luft wieder einströmt … und achten Sie dann auf die Pause zwischen Ein- und Ausatmung … spüren Sie, wie die Luft wieder ausströmt … lassen Sie Ihrer Atmung freien Lauf … Ihre Aufmerksamkeit ist ganz auf den gegenwärtigen Moment gerichtet. Genießen Sie das Gefühl der inneren Ruhe und Entspannung und bleiben Sie sich Ihrer Atmung bewusst. Wenn Ihre Gedanken abschweifen, führen Sie sie sanft wieder zu Ihrem Atem zurück. Beenden Sie die Meditation mit einer Ausatmung, öffnen Sie die Augen, falls Sie sie geschlossen hatten, und stehen Sie dann langsam auf.

Führen Sie die Atemmeditation anfangs nur drei bis fünf Minuten lang aus. Wenn Sie möchten, legen Sie nach einer kurzen Pause eine weitere drei- bis fünfminütige Sitzung ein. Allmählich können Sie die Meditationsdauer auf 30 Minuten steigern. Ganz nach Belieben, und je nachdem, wie intensiv Sie sich der Meditationspraxis widmen möchten.

Doch unabhängig davon, wie lange Sie üben: Kosten Sie in jedem Fall das Gefühl aus, einen erfrischten, ruhigen Geist zu haben, und versuchen Sie es soweit wie möglich in Ihr Tagesbewusstsein mit hineinzunehmen. Und wenn Sie das nächste Mal merken, dass die Welt um Sie herum zu hektisch wird und Sie gar nicht mehr wissen, wo Ihnen der Kopf steht, gönnen Sie sich zwischendurch einfach eine kurze Auszeit. Die Meditation wird Sie erfrischen und Ihnen einen klaren, geordneten Geist schenken. Sie werden feststellen, dass es Ihnen mit etwas Übung immer besser gelingen wird, diese Wirkung zu erzielen. Lassen Sie sich einfach einmal auf diese Erfahrung ein.

Varianten der Atemmeditation

Wenn Sie feststellen, dass Sie Schwierigkeiten haben, Ihre Gedanken auf den Atem zu richten, oder Ihre Aufmerksamkeit im Laufe der Übung deutlich nachlässt, kann es hilfreich sein, die Atemzüge zu zählen. Es gibt verschiedene Zählvarianten. Probieren Sie einfach aus, welche für Sie am besten funktioniert.

Zählvariante 1: Beim Einatmen zählen Sie in Gedanken »eins«, beim Ausatmen zählen Sie »zwei«. So fahren Sie immer weiter fort. »Eins« ...»zwei« ... »eins« ... »zwei« ...

Zählvariante 2: Sie zählen innerlich im folgenden Rhythmus: Einatmen, ausatmen – »eins«, einatmen, ausatmen – »zwei«, einatmen, ausatmen – »drei« und so weiter. Wenn Sie bei zehn angekommen sind, beginnen Sie wieder von vorn.

Zählvariante 3: Sie zählen beim Einatmen relativ schnell »1, 1, 1, 1, 1, 1 ...« und beim Ausatmen »2, 2, 2, 2, 2, 2 ...«, beim nächsten Einatmen zählen Sie »3, 3, 3, 3, 3, 3 ...« und beim Ausatmen »4, 4, 4, 4, 4, 4 ...«. Wenn Sie bei zehn angekommen sind, beginnen Sie wieder von vorn.

Welche Wohltat ist es, einen
gezähmten Geist zu haben und das
Glück der Befreiung zu schmecken.
Und doch, wie schwer zu meistern,
wie fein sind die Täuschungen der
Gedanken. Sie zur Ruhe zu bringen
und zu bändigen ist der wahre
Weg zum Glück.
Buddha

Meditiere im Trubel des täglichen Lebens, mitten in der Menschenmenge, während du die Straße entlanggehst. Dekonditioniere dich! Steige plötzlich in die Höhe und betrachte das Schauspiel der Welt wie einen ewig fließenden Strom, ohne Anfang und ohne Ende. Du bist im Zentrum von all dem, der einzige Fixpunkt, mit deinem Bewusstsein, deinen Empfindungen, deinen Reflexionen. So erneuert Meditation deine Energie und vermeidet den Überdruss.

Drukpa Rinpoche

Müdigkeit, Nervosität und Anspannung überwinden

Es ist wieder einmal so ein Tag, an dem Sie in der Arbeit gar nicht wissen, womit Sie zuerst anfangen sollen. In Ihrem E-Mail-Postfach haben sich zahlreiche Nachrichten angesammelt, auf die Sie reagieren müssen, ständig klingelt das Telefon und außerdem müssen Sie ein dringendes Projekt abschließen und es noch am Vormittag Ihrer Chefin präsentieren. Stress pur ist angesagt. Sie versuchen sich zu konzentrieren und eine Aufgabe nach der anderen zu erledigen. Es gelingt Ihnen, sich nicht zusätzlich verrückt zu machen, und Sie schaffen es sogar, in einem etwas ruhigeren Moment die Lächelmeditation am Schreibtisch durchzuführen (siehe S. 51). So bleiben Sie trotz der Nervosität gefasst und behalten den Überblick. Schließlich haben Sie alles hinter sich gebracht und freuen sich auf die wohlverdiente Mittagspause, die Sie mit befreundeten Kollegen verbringen wollen. Doch jetzt spüren Sie, dass die Luft erstmal raus ist. In solchen Momenten bietet sich die folgende Übung an. Wenn das Wetter es erlaubt, können Sie die Geh-Meditation wunderbar in einem Park oder an anderen ruhigen Plätzen im Freien durchführen.

Die Geh-Meditation

Die Geh-Meditation kann Ihnen dabei helfen, volle Bewusstheit zu entwickeln, wenn Sie zu müde, nervös oder innerlich aufgewühlt sind, um im Sitzen zu meditieren. Sie können die Übung in einem Raum oder im Freien durchführen.

Setzen Sie langsam einen Schritt vor den anderen. Achten Sie dabei auf jede Kleinigkeit im Bewegungsablauf. Spüren Sie, wie zunächst die Ferse und dann der restliche Fuß den Boden berührt. Nehmen Sie wahr, wie sich Ihr Gewicht währenddessen fließend von einem Fuß auf den anderen verlagert. Beobachten Sie, wie der zweite Fuß sich vom Boden hebt, ein Stück nach vorn bewegt und dann mit der Ferse zuerst wieder aufsetzt. Halten Sie Ihren Blick stetig auf einen Punkt vor Ihren Füßen auf dem Boden gerichtet. Lassen Sie Ihre Arme beim Gehen locker nach unten hängen und versuchen Sie, in einen ruhigen, gleichmäßigen Fluss zu kommen. Bewegen Sie sich jedoch nicht zu langsam, da Sie sonst aus dem Gleichgewicht kommen können.

Bei dieser Form des Gehens geht es nicht darum, an einem Ziel anzukommen. Ihre Aufmerksamkeit ist immer nur auf den Schritt gerichtet, den Sie gerade ausführen, auf den Ort, an dem Sie sich im jeweiligen Moment befinden.

Mit jedem Schritt sind Sie genau dort, wo Sie gerade sein wollen. Wenn es Ihnen gelingt, sich auf das Gehen zu konzentrieren, spricht allerdings nichts dagegen – falls es sich anbietet – bestimmte Wege, die Sie an einem Tag ohnehin zurücklegen, mit der Geh-Meditation zu verbinden.

Übrigens, Buddha soll diese Übung sogar nach seiner Erleuchtung regelmäßig durchgeführt haben.

Erzeuge in dir den Geist höchster
Entschlossenheit,
übe dich in liebender Güte, gib Freude
und Schutz;
lass dein Geben so werden
wie den weiten Raum,
frei von unterscheidendem
Denken und Begrenzungen.

Tue, was heilsam ist, nicht um
deinetwillen,
sondern um alle Wesen im Universum
glücklich zu machen.
Schütze und befreie jeden,
der dir begegnet,
hilf ihm, die Weisheit des Weges
zu erlangen.
Buddha

Vom Egoismus zur liebenden Güte

Wir Menschen sind so gestrickt, dass wir nicht »isoliert« glücklich werden können. In unserem tiefsten Inneren wissen wir das alle. Wir müssen erkennen, dass alles in der Welt miteinander zusammenhängt. Wir handeln und bewegen uns nicht in einem »luftleeren Raum«. Vielmehr hat jeder unserer Gedanken und Taten eine Wirkung. Wir können nicht die Augen verschließen, um in einer Welt voller Leid nur unserem persönlichen Glück hinterherzujagen. Wenn wir uns auf diesen Weg begeben, landen wir letztlich in einer Sackgasse. Viele Menschen machen sich diesbezüglich etwas vor. Sie glauben, sie könnten glücklich sein, wenn sie sich vom Leid anderer abwenden und sich nur um ihre eigenen Belange kümmern. Doch es ist ein paradoxer Gedanke, ein solch egoistisches »Glück« anzustreben. Nur wenn wir am Leben anderer Menschen Anteil nehmen, das lehrt uns der Buddhismus, wenn wir Liebe und Mitgefühl für sie entwickeln, können wir zu wahrem, tiefem und dauerhaftem Glück finden.

Lassen wir zu, dass unser Egoismus dominiert, und empfinden wir anderen Menschen gegenüber Neid und Missgunst, setzt uns das selbst am allermeisten zu. Es ist nicht nur ein buddhistisches Prinzip, sondern auch in westlichen Gesellschaften eine uralte Weisheit, dass jedes negative

Gefühl, das wir aussenden, wie ein Bumerang zu uns zurückkommt und uns selbst am meisten schadet. Dennoch machen wir uns das viel zu selten bewusst. Wie befreiend und heilsam kann es daher sein, wenn wir unseren Geist gezielt darin üben, positive Gedanken zu entwickeln und so Güte, Großzügigkeit, Anteilnahme und Geduld fördern.

Auf diese Weise können wir unseren Egoismus reduzieren, zu größerer Liebe und Klarheit finden und letztlich eine größere innere Zufriedenheit und Harmonie entwickeln.

Mithilfe der Meditation fördern wir diese innere Wandlung. So kann unser Wunsch, andere Menschen glücklich zu sehen und uns aktiv gegen das Leid einzusetzen, immer mehr Raum gewinnen. Und wenn wir diese innere Wandlung mehr und mehr voranbringen, können wir immer konsequenter handeln.

Die folgende Meditation kann uns dabei helfen, selbstloser zu werden und der Welt mit einem Gefühl liebender Güte zu begegnen. Wenn wir uns dieser Übung ernsthaft widmen, schaffen wir eine gute Voraussetzung dafür, einen raschen Stimmungswechsel herbeizuführen, negative Gedanken aufzulösen und einen sorgenvollen Geist zu beruhigen. Darüber hinaus fördern wir die Liebe uns selbst und anderen Menschen gegenüber.

Die Liebende-Güte-Meditation

Suchen Sie einen ruhigen Platz auf, an dem Sie ungestört sind, und nehmen Sie eine Meditationshaltung oder eine andere bequeme Position ein. Entspannen Sie sich und richten Sie Ihre Aufmerksamkeit dann auf den Atem (siehe auch Atemmeditation, S. 55).

Wenn Sie einige Male bewusst ein- und ausgeatmet haben, stellen Sie sich ein kleines Kind vor, das Sie vertrauensvoll und strahlend ansieht. Sie nehmen es in den Arm und werden dabei von einem Gefühl bedingungsloser Liebe durchdrungen. Sie wünschen diesem kleinen schutzbedürftigen Wesen nur das Beste und hoffen, dass ihm kein Leid zustößt. Spüren Sie, wie sich dieses Gefühl der Güte und rückhaltlosen Liebe immer mehr in Ihrem Inneren ausbreitet.

Stellen Sie sich nun einen Menschen vor, der Ihnen besonders nahesteht, wie zum Beispiel einen Familienangehörigen oder einen Freund und wiederholen Sie innerlich den folgenden Wunsch: »Möge er glücklich und sicher sein. Möge sein Geist zufrieden sein.«

Dehnen Sie diese Vorstellung nun auf alle Ihnen nahestehenden Menschen aus. Senden Sie liebende Güte an sie alle.

Im nächsten Schritt senden Sie Ihren Wunsch an all die Menschen aus, zu denen Sie ein neutrales Verhältnis haben, für die Sie also weder positive noch negative Gefühle hegen.

Danach dehnen Sie Ihren Wunsch auch auf Ihre Widersacher und Feinde aus. Dabei wünschen Sie ihnen nicht, dass sie sich weiterhin auf eine ungute Weise verhalten, sondern dass sie ihre

Gier, ihren Hass oder ihre Hartherzigkeit aufgeben und selbst von liebender Güte durchdrungen werden.

Zum Schluss senden Sie Ihren Wunsch an alle Wesen auf dieser Welt.

Hinweis: Sie können die Übung auch damit beginnen, liebende Güte sich selbst gegenüber zu entwickeln. Sehen Sie sich selbst glücklich und mit einem strahlenden Gesichtsausdruck vor sich. Formulieren Sie dann den folgenden Wunsch: »Möge ich glücklich und sicher sein. Möge mein Geist zufrieden sein.«

Besonders, wenn Sie an sich selbst zweifeln oder Schwierigkeiten haben, sich so zu akzeptieren, wie Sie sind, sollten Sie das Gefühl liebender Güte zunächst an sich selbst senden. Das hilft, negative Gefühle und Selbstzweifel abzubauen. Danach wird es Ihnen leichter fallen, anderen gegenüber selbstlose Liebe und Mitgefühl zu empfinden.

Das Aussenden liebender Güte ist eine Meditation des Herzens. Versuchen Sie das Gefühl, das Sie beim Üben entwickeln, auch nach Beendigung der Meditation aufrechtzuerhalten. Nehmen Sie Ihre positive Stimmung mit in Ihren Alltag, ins Büro, zu Ihrer Familie und zu Freunden. Bemühen Sie sich, anderen Menschen offen, herzlich und vorurteilsfrei zu begegnen. Es wird auch Ihnen sehr gut tun.

Welche Bedeutung der Buddha der liebenden Güte beimaß, wird anhand des folgenden Zitats deutlich:

Von allen Übungswegen hat nicht einer nur den sechzehnten Teil an Kraft, den das Verweilen in liebender Güte besitzt. Liebende Güte ist Freiheit des Herzens, die alle Übungswege einschließt. Sie leuchtet weithin in strahlender Klarheit.

So wie das Licht der Sterne nicht den sechzehnten Teil der Helligkeit des Mondes ausmacht, deren Licht er mit seinem hellen Schein überstrahlt, so überstrahlt auch der Glanz liebender Güte alle anderen Übungswege.

So wie am Ende der Regenzeit die Sonne am klaren, wolkenlosen Himmel aufsteigt und mit ihrem strahlenden Licht die Dunkelheit vertreibt, so wie am Ende der finsteren Nacht der Morgenstern triumphierend erstrahlt, so besitzt keiner der geistigen Übungswege nur den sechzehnten Teil der Kraft, den liebende Güte besitzt. Sie vereinigt alle anderen Wege in sich und überstrahlt sie mit ihrem Glanz.

Buddha

Wenn für etwas Abhilfe geschaffen werden kann,
wieso sollte ich darüber unglücklich sein?
Wenn für etwas keine Abhilfe geschaffen
werden kann,
wozu dient dann mein Unglücklichsein?

Shantideva

Willkommen im Stau

Es ist zum Haareraufen. Gerade sind Sie an der Autobahn-
ausfahrt vorbeigefahren, da sehen Sie hinter der nächsten
Kurve, dass sich vor Ihnen ein Stau gebildet hat. Sie sind
ohnehin schon spät dran und jetzt auch das noch. Sie
merken, wie Sie sich innerlich anspannen, und beginnen,
auf die ganze Welt zu schimpfen. So ein Mist! Wieso muss
jetzt ausgerechnet hier ein Stau sein? Wieso passiert das
immer mir und gerade heute, wo ich unbedingt wegen des
wichtigen Meetings frühzeitig im Büro sein wollte?

Doch egal, wie sehr Sie auch schimpfen und gegen die
vertrackte Situation rebellieren mögen, Sie können nichts,
aber auch gar nichts gegen den Stau tun. Sie können sich
zwar felsenfest vornehmen, beim nächsten Mal noch eher
loszufahren, eine andere Strecke auszuprobieren oder auf
die öffentlichen Verkehrsmittel umzusteigen, aber im Moment stecken Sie nun mal fest und es bleibt Ihnen gar
nichts anderes übrig, als sich damit abzufinden. Was Sie
allerdings ändern *können*, ist die Art und Weise, wie Sie mit
der Situation umgehen. Natürlich dürfen Sie sich weiterhin
darüber aufregen und damit Ihre schlechte Laune fördern,
Sie könnten Ihre Lage aber auch aus einem ganz anderen
Blickwinkel betrachten. Versuchen Sie, sich von außen
zu sehen und Ihre Situation ganz objektiv und nüchtern

zu betrachten. Sie stehen im Stau und kommen nicht so schnell vorwärts, wie Sie sich das vorgestellt hatten. Das ist richtig, lässt sich aber im Moment partout nicht ändern. Was beobachten Sie noch? Sie sitzen bequem hinter dem Steuer auf Ihrem Sitz. Eigentlich ist es sehr behaglich im Auto, denn es ist trocken und warm. Sie haben Ihre Ruhe. Keiner will etwas Böses von Ihnen. Wenn Sie sich die lange Autoschlange ansehen, könnte es mindestens zehn Minuten oder länger dauern, bis sich der Stau auflöst. Das sind zehn Minuten, die Ihnen gehören! Welch willkommene Gelegenheit, diese unerwartete Pause zu nutzen und in Gedanken noch einmal den Vortrag für das bevorstehende Meeting durchzugehen, an dem Sie die ganze letzte Woche gearbeitet haben. Falls Sie ohnehin bestens vorbereitet sind und den Ablauf klar im Kopf haben, können Sie diesen Moment auch für die folgende Entspannungsübung nutzen:

Entspannen im Stau

Setzen Sie sich möglichst aufrecht hin, lassen Sie Ihre Schultern entspannt nach unten hängen und lockern Sie Ihren Nacken, indem Sie ein paar Mal – abwechselnd rechts und links herum – sanft mit dem Kopf kreisen. Entspannen Sie auch Ihre Gesichtsmuskeln. Richten Sie Ihre Aufmerksamkeit nun auf Ihren Atem. Atmen Sie ein und spüren Sie dabei, wie die Luft Ihre Lunge füllt und bis zu Ihrem Bauch hinabströmt. Während Sie ruhig wieder ausatmen, entspannen Sie Ihre Muskeln weiter. Lassen Sie Ihre Anspannung und jedes Gefühl der Wut oder Ungeduld bewusst los. Tanken Sie mit jedem Einatmen neue Energie, Kraft und Zuversicht für diesen Tag und lassen Sie mit jedem Ausatmen weiterhin alle Anspannung und Negativität aus Ihrem Körper hinausströmen. Schließen Sie die Übung nach ein paar Minuten mit einer Ausatmung ab – je nachdem, wie viel Zeit der Stau Ihnen dafür schenkt.

Wenn Sie die Zeit im Stau auf positive Weise für sich nutzen, ändern Sie zwar nichts an der Tatsache, dass Sie länger brauchen als geplant, um an Ihr Ziel zu kommen, aber Sie verwandeln eine ärgerliche Situation in einen entspannenden, fruchtbaren Moment und befreien sich damit von dem äußeren Zwang, der Sie im Stau gefangen hält. Sie sind Ihrer Wut nicht länger ausgeliefert, sondern agieren aktiv und selbstbestimmt. Damit stärken Sie sich mit Energie, fördern Ihre Ausgeglichenheit und gute Laune und können so viel gelassener und konzentrierter auf alles reagieren, was an diesem Tag noch auf Sie zukommen wird.

Hinweis: Bei dieser Übung sollten Sie sich nicht zu tief versenken, denn immerhin sitzen Sie noch am Steuer und nehmen aktiv am Verkehr teil. Halten Sie daher die Augen stets offen und unterbrechen Sie die Übung kurz, wenn sich die Autos vor Ihnen wieder ein Stück vorwärtsbewegen. Sobald Sie wieder zum Stehen kommen, nehmen Sie die bewusste Atmung wieder auf. Falls Sie sich auf dem Beifahrersitz befinden, können Sie sich natürlich stärker in die Meditation vertiefen.

Der beste Weg, um deinen Feind
loszuwerden, ist, zu erkennen, dass
er nicht dein Feind ist.
Buddha

Bevor die Sicherungen durchbrennen – vom Umgang mit Wut

Gefühle wie Wut oder Hass sind wie ein innerer Feind. Wir meinen zwar, dass wir sie gegen jemanden richten, der uns geärgert oder provoziert hat, doch in Wirklichkeit richten wir sie gegen uns selbst und schaden damit sowohl unserem Geist als auch unserem Körper. Halten wir zu lange an diesen Emotionen fest, die im Buddhismus übrigens – neben Unwissenheit, Begierde, Eifersucht und Stolz – als geistige Gifte gelten, wird unsere Ausstrahlung so negativ, dass wir es uns mit vielen Menschen verscherzen und sie unsere Gesellschaft meiden. Wir treiben uns damit selbst in die Isolation hinein und werden immer einsamer. Unser Zorn kann uns so gefangen nehmen, dass er uns sogar bis in den Schlaf hinein verfolgt. Wir werden immer unausgeglichener, und wenn wir nicht aufpassen, kann es sogar so weit kommen, dass wir uns ein Magengeschwür oder andere körperliche Leiden zuziehen.

Was erreichen wir mit unserem Verhalten? Wenn wir unsere Wut an einem anderen Menschen auslassen, wird dieser häufig ebenfalls aggressiv reagieren, und dann schaukelt sich die Situation immer mehr hoch. Wenn unser Gegenüber uns ignoriert und sich zurückzieht, läuft unser Zorn ins Leere und wir bleiben mit unserem Gefühl allein, aber besser werden wir uns nicht fühlen. Auch eine dritte

Möglichkeit ist denkbar: Unseren »Widersacher« tangiert unsere Wut überhaupt nicht, aber er merkt, wie schlecht gelaunt wir seinetwegen sind, und empfindet innerlich eine gewisse Genugtuung darüber, die er deutlich zeigt. Damit ist uns ja wohl auch keineswegs geholfen.

Buddha zeigt uns, wie wir konstruktiv mit unserer Wut umgehen können, und zwar bevor die Sicherungen durchbrennen.

Zunächst sollten wir die Person, auf die sich unser Zorn richtet, ignorieren. Dadurch beruhigen wir unseren Geist wenigstens etwas. In einem zweiten Schritt sollten wir zwischen dem Menschen und seinem Verhalten unterscheiden. Dann reagieren wir nämlich nicht mehr auf die Person, sondern darauf, wie sie sich verhält. Ihr Verhalten kann sich potenziell jederzeit verändern. Ein Mensch, der uns bisher feindselig begegnet ist oder sich unfair verhalten hat, kann seine Haltung überdenken und uns schon morgen freundlich gegenübertreten. Wahrscheinlicher wird das allerdings, wenn wir das Unsere dazu tun und uns bemühen, ihm zumindest nicht zu schaden. Im Idealfall springen wir so weit über unseren eigenen Schatten, dass wir ihm liebende Güte und Mitgefühl entgegenbringen, denn er ist ebenso wie wir ein leidendes Wesen und möglicherweise aufgrund seines negativen Karmas in Not.

Zur Entwicklung von liebender Güte und Mitgefühl empfiehlt sich die Meditation auf Seite 65.

Im nächsten Kapitel »Was tun bei schlechter Laune …« finden Sie weitere Tipps zum Umgang mit negativen Stimmungen, Ängsten und Sorgen.

Die Geschichte einer Versöhnung

Zwei Königreiche standen kurz davor, Krieg gegeneinander zu führen, weil sie sich über einen Uferdamm stritten und sich nicht einig werden konnten, wem er gehörte.

Als der Buddha die beiden Könige mit ihren kampfbereiten Armeen sah, bat er sie, ihm doch zu sagen, worum es bei ihrer Auseinandersetzung gehe. Als er beide Seiten gehört hatte, sagte er:

»Der Uferdamm ist für Menschen beider Königreiche von Nutzen. Doch hat er außerhalb dieser Tatsache einen Wert für sich?«

»Nein, er hat keinen Wert für sich.«

Und der Buddha fuhr fort: »Wenn ihr also miteinander kämpft, ist es dann nicht so, dass viele eurer Männer das Leben verlieren werden, ja dass ihr vielleicht selbst getötet werdet?«

»Ja, viele unserer Männer werden sterben, und unser eigenes Leben ist in Gefahr.«

»Hat das Blut dieser Männer einen geringeren Wert als dieser Erdhügel?«

»Nein«, antworteten die Könige. »Das Leben von Menschen und Königen übersteigt jeden Wert.«

Der Buddha schloss: »Wollt ihr also das unendlich Kostbare gegen etwas eintauschen, das keinen eigenen Wert hat?«

In diesem Moment löste die Wut der beiden Könige sich in Nichts auf, und sie fanden eine friedliche Lösung.

Die Übung der Achtsamkeit löst unsere Negativität, Aggressivität und die anderen stürmischen Gefühle auf, deren Kraft sich vielleicht schon während vieler Leben angesammelt hat. Statt diese Emotionen zu unterdrücken oder in ihnen zu schwelgen, ist es wichtig, ihnen – wie auch den Gedanken und überhaupt allem, was entsteht – mit Akzeptanz und Großzügigkeit zu begegnen, so offen und weitherzig zu sein wie nur möglich. Die tibetischen Meister sagen, diese weise Art der Großzügigkeit vermittle ein Gefühl grenzenlosen Raums, so warm und behaglich, dass man sich davon eingehüllt und beschützt fühlt wie von einem Gewebe aus Sonnenlicht.

Sogyal Rinpoche

Was tun bei schlechter Laune, Ängsten und Sorgen?

Es gibt sie, diese Tage, an denen wir von schlechter Laune, Pessimismus, Enttäuschungen oder sogar von Ängsten geplagt werden. Häufig lassen sich diese Gefühlszustände auch nicht auf einzelne Tage reduzieren, sondern vereinnahmen uns über längere Zeit hinweg. Manchmal wachen wir ohne erkennbaren Grund schon schlecht gelaunt auf und können dieses Gefühl den ganzen Tag über nicht ablegen. Nichts scheint zu gelingen, alles geht uns nur mühsam von der Hand. Und wenn uns ein kleines Missgeschick passiert, haben wir nicht genügend Abstand, um über uns selbst zu lachen, sondern werden nur noch verzweifelter oder wütender.

Zu anderen Zeiten haben wir den Eindruck, dass sich alles gegen uns verschworen hat. Möglicherweise enttäuscht uns das Verhalten von guten Freunden oder dem Partner, vielleicht haben wir Grund zur Sorge um unseren Arbeitsplatz oder wir fühlen uns den Aufgaben in unserem Leben einfach nicht gewachsen. Es gibt unzählige Situationen und Probleme, die uns mutlos, deprimiert, ängstlich oder zornig stimmen können.

Wenngleich es häufig überaus schwierig ist, mit unseren Alltagssorgen, unseren Stimmungen und Ängsten fertig zu werden, und meistens niemand uns diese Probleme einfach ohne Weiteres abnehmen kann, finden wir im Buddhismus konkrete Empfehlungen für den Umgang mit solchen schwierigen Situationen.

Zum einen kann uns die Erkenntnis helfen, dass negative Stimmungen, Probleme und Sorgen – so wie alle anderen Phänomene auf der Welt – vergänglich sind (siehe auch S. 43). Das heißt, sie entstehen und vergehen und es werden auch wieder Zeiten kommen, in denen uns das Leben leichter fällt. Wenn wir uns dies bewusst machen, kann uns das allein schon Trost und Hoffnung schenken.

Zum anderen können wir die Achtsamkeitsmeditation anwenden. Sie ist ein großartiges Instrument, um mit negativen Gefühlen, Unausgeglichenheit oder ganz generell mit Belastungen und Sorgen umzugehen. Bei dieser Meditation beobachten wir gezielt, wie unsere Gedanken und Gefühle entstehen, und trainieren darüber hinaus unseren Geist, zur Ruhe zu kommen. So entwickeln wir eine größere Klarheit und erkennen, wie die Dinge wirklich sind. Achtsam nehmen wir unsere Erfahrung in einem bestimmten Moment wahr und können daher viel angemessener darauf reagieren. Auf diese Weise stärken wir unsere innere Balance sowie unsere Zuversicht, dass wir unser Leben meistern können, und lassen uns nicht mehr so leicht verunsichern oder aus der Bahn werfen. Eine Anleitung für die Achtsamkeitsmeditation finden Sie am Ende dieses Kapitels (siehe S. 81).

> Das Leben verschafft sich Geltung durch
> eine andauernde Freude, die – in ein und
> derselben Freiheit – Gegner miteinander
> versöhnt, Liebende und Freunde
> einander näherbringt. Die Freude ist
> ein Zustand des völligen Annehmens,
> des Loslassens von sich selbst und der
> Hingabe an andere. Man fühlt sich
> urplötzlich völlig ausgefüllt, über seine
> menschlichen Begrenzungen hinaus.
> *Drukpa Rinpoche*

Neben der Achtsamkeitsmeditation gibt es im Buddhismus noch ein weiteres ganz hervorragendes Mittel, um mit negativen Emotionen oder Sorgen umzugehen:

Je mehr wir uns nämlich auf uns selbst konzentrieren, desto mehr drehen wir uns buchstäblich um uns selbst und desto intensiver, schmerzlicher und unüberwindbarer erscheint uns unser eigenes Leid. Gelingt es uns dagegen, unsere Perspektive zu verändern und uns des Leids anderer Menschen gewahr zu werden, uns für ihre Situation zu öffnen, dann verlieren unsere eigenen Probleme an Bedeutung. Für uns selbst sehen wir oft keine Lösung, wir fühlen uns vor lauter Verzweiflung, Panik oder schlechter Laune blockiert und finden keinen Ansatzpunkt, um uns aus dieser Gemütsverfassung zu befreien. Aber in einer solchen Lage können wir anderen Menschen trotzdem Mitgefühl und Wohlwollen entgegenbringen. Und dieser Schritt macht den entscheidenden Unterschied! Er hilft uns, unsere eigene Mutlosigkeit in Zuversicht, unsere Verzweiflung in liebevolle Anteilnahme, ja sogar unsere schlechte Laune in Heiterkeit zu verwandeln. Nicht unbedingt dauerhaft, aber wenigstens für den Moment, solange wir uns auf andere ausrichten und uns selbst mit unserem persönlichen Leid nicht mehr als das »Zentrum des Universums« betrachten.

Lassen Sie es auf einen Versuch ankommen. Kehren Sie Ihre Entmutigung um und bestärken Sie einen Freund, jemanden aus Ihrer Familie oder einen Kollegen, der Beistand nötig hat. Sie werden überrascht sein, was das bei Ihnen selbst auslöst.

Oder kochen Sie für einen Menschen, der im Moment viel um die Ohren hat, ein leckeres Essen – und zwar gerade in einer Situation, in der Sie sich wünschen, dass andere sich auch ein bisschen mehr um *Sie* kümmern würden. Machen Sie anderen Menschen eine Freude, wenn Sie selbst unter Einsamkeit leiden oder deprimiert sind. Rufen Sie eine Freundin an, der es gerade nicht so gut geht, weil sie vielleicht Liebeskummer hat oder womöglich von ihrem Partner verlassen wurde. Hören Sie ihr aufmerksam und voller Anteilnahme zu. Noch besser, gehen oder fahren Sie direkt zu ihr und leisten Sie ihr Gesellschaft, damit sie den Feierabend nicht allein mit ihrem Kummer auf der Couch verbringen muss. Vielleicht lässt sie sich ja sogar dazu überreden, ins Kino oder in ein nettes Lokal zu gehen. Seien Sie achtsam und überlegen Sie sich, was ihr in dieser Situation wohl gut tun könnte.

Es gibt unendlich viele Möglichkeiten, anderen zu helfen. Auch wenn es manchmal große Überwindung kostet, sich aus seinem eigenen »Sumpf« zu befreien, seine Sorgen einmal beiseite zu schieben, geben Sie sich einen Ruck und werden Sie kreativ. Sie können nur gewinnen!

Eine gute Übung, um Mitgefühl für andere zu entwickeln, ist die »Liebende-Güte-Meditation«, die auf Seite 65 vorgestellt wird.

Die Achtsamkeitsmeditation

Diese Übung trainiert den Geist, zur Ruhe zu kommen, und schafft eine Basis dafür, alles wahrzunehmen, was im gegenwärtigen Moment entsteht und wieder vergeht. Sie hilft uns, die Vergänglichkeit unserer Gedanken, körperlichen Empfindungen und Emotionen zu erkennen, insgesamt eine größere Achtsamkeit und Ausgeglichenheit zu entwickeln und vollkommen im Hier und Jetzt zu sein.

Suchen Sie einen ruhigen Ort auf, an dem Sie nicht gestört werden, und nehmen Sie eine bequeme Meditationshaltung ein. Entspannen Sie Ihre Schultern, Ihren Nacken und Ihre Gesichtsmuskeln und richten Sie Ihre Aufmerksamkeit dann auf den Atem (eine genauere Anleitung dazu finden Sie auf Seite 55).

Wenn Sie einige Male bewusst ein- und ausgeatmet haben, versuchen Sie, alle Gedanken, inneren Bilder und Empfindungen bewusst wahrzunehmen, egal, worum es sich dabei handelt. Seien Sie ein neutraler Beobachter, der alles wie einen unaufhörlichen Strom an sich vorbeiziehen lässt, ohne dabei bewertend einzugreifen. Achten Sie auf jedes Gefühl, auf jede Stimmung, egal, ob es sich um Freude, Liebe, Unsicherheit, Eifersucht, Ärger, Zufriedenheit oder was auch immer handelt. Lassen Sie Ihre Gedanken und Emotionen kommen und gehen. Falls Sie sich von den Bildern und Eindrücken überwältigt fühlen oder Sie sich zu sehr in Ihren Gedanken verlieren, kehren Sie einfach wieder zu Ihrem Atem zurück, bis Sie sich wieder gesammelt haben. Dann wenden Sie Ihre Aufmerksamkeit erneut von Ihrem Atem ab und richten sie wieder auf all die Dinge, die in Ihr Bewusstsein dringen.

Machen Sie anfangs nach fünf Minuten eine kleine Pause und setzen Sie die Meditation dann noch zwei Mal jeweils fünf Minuten lang fort. Allmählich können Sie Ihre Meditationssitzung auf 30 Minuten steigern.

Versuchen Sie die Achtsamkeit, die Sie während der Übung entwickeln, auch in Ihren Alltag zu integrieren. Richten Sie Ihre Aufmerksamkeit gezielt auf die Dinge, die Sie gerade tun – genau hier, genau jetzt. Führen Sie all Ihre Tätigkeiten möglichst bewusst aus, ob Sie nun gerade Ihr Fahrrad putzen oder etwas essen. Bleiben Sie ganz bewusst im gegenwärtigen Moment und beobachten Sie gleichzeitig, in welcher Gemütsverfassung sich Ihr Geist befindet.

Hinweis: Bei dieser Form der Meditation können sowohl angenehme als auch unangenehme Gedanken und Gefühle in Ihrem Bewusstsein auftauchen. Wenn es Ihnen gelingt, diese aus der Position eines neutralen Beobachters zu betrachten, nehmen Sie einfach alles zur Kenntnis und akzeptieren es mit einer großmütigen, offenen inneren Haltung, die nichts verurteilt oder bewertet. Es kann allerdings auch vorkommen, dass die Bilder oder Emotionen zu intensiv oder sogar belastend wirken. Kehren Sie in diesem Fall mit Ihrer Aufmerksamkeit zu Ihrem Atem zurück. Falls Sie sich unsicher fühlen oder die Meditation Ihnen unangenehm ist, sollten Sie nur unter der Anleitung eines erfahrenen Meditationslehrers weiterüben, der Ihnen die nötige Hilfestellung und Sicherheit geben kann.

Das Ziel dieser Meditationsform besteht darin, sich über die Ruhelosigkeit des Geistes bewusst zu werden sowie die Flüchtigkeit unserer Gedanken und Gefühle zu erkennen. Übende, die in ihrer Praxis bereits weit fortgeschritten sind, können in einer weiteren Stufe der Versenkung eine wahre Geistesruhe entwickeln und so tiefe Einsichten erlangen. Diese Meditationstechnik sollten Ungeübte allerdings nur unter der Anleitung eines Meditationslehrers praktizieren.

Im Moment seines Erwachens rief
der Buddha aus: »Wunder über
Wunder! Die fühlenden Wesen
sind in Wirklichkeit erleuchtet und
strahlen im Glanz ihrer Weisheit
und Tugend. Doch weil sich ihr
Geist hat täuschen lassen und dem
Glauben an ein Selbst anhängt,
können sie dies nicht erkennen.«
Kegon-Sutra

Sich selbst annehmen und verzeihen

Wir haben bereits gesehen, wie wichtig es der buddhistischen Lehre zufolge ist, andere Menschen anzunehmen und ihnen Mitgefühl und liebende Güte entgegenzubringen. Eine wesentliche Voraussetzung dafür ist allerdings, dass wir uns selbst bedingungslos akzeptieren und lieben. Wir können nur das geben, was wir im Inneren besitzen. Wenn wir uns selbst ablehnen oder angesichts unserer Unzulänglichkeiten, Fehler und Schwächen zu hart mit uns selbst ins Gericht gehen, wird es uns kaum gelingen, anderen Menschen unvoreingenommen, mit einem offenen Herzen und wohlwollender Gesinnung zu begegnen. Wir müssen uns zunächst selbst zugestehen, dass wir liebenswert sind und es verdient haben, glücklich und erfüllt zu leben. Erst dann können wir anderen gegenüber ein tief empfundenes Gefühl der Liebe und Güte entwickeln.

Die Mahayana-Tradition vertritt in diesem Zusammenhang eine eindeutige Haltung: Ihr zufolge haben wir alle eine »Buddhanatur«, die nur darauf wartet, entdeckt zu werden. Wir alle tragen das Potenzial zur Erleuchtung in uns. Doch wir sind, um ein altes buddhistisches Bild heranzuziehen, wie ein Bettler, der nicht weiß, dass unter seiner Hütte ein Schatz vergraben ist. Da er sich seines Reichtums nicht bewusst ist, bleibt er arm. Genauso wie der Bettler haben wir unsere wahre Natur noch nicht erkannt. Das größte buddhistische Ziel besteht daher für jeden Einzelnen darin, den verborgenen Schatz aufzuspüren und in seinem Leben auf diese Weise die höchste Erfüllung zu finden.

Diese Sichtweise kann uns dabei helfen, uns selbst anzunehmen – und zwar genau so, wie wir sind. Wir dürfen davon ausgehen, dass in uns allen ein unendlich großes Potenzial schlummert, und können lernen das wertzuschätzen, auch wenn wir immer wieder auf unserem Weg stolpern und Fehler machen, auch wenn wir hin und wieder von negativen Gedanken heimgesucht werden und uns falsch verhalten. Sich selbst vorbehaltlos anzunehmen, bedeutet nicht, die eigenen Fehler gutzuheißen und einfach kritiklos weiterzumachen. Vielmehr bedeutet es, sich der eigenen Unzulänglichkeiten und Schwächen bewusst zu werden und sie konstruktiv durch positive Gedanken, Gefühle und Taten zu ersetzen. Für unsere persönliche und spirituelle Entwicklung spielt es eine wichtige Rolle, dass wir uns unsere Fehler eingestehen können. Denn nur dann haben wir auch die Möglichkeit, sie aufrichtig zu bereuen und, was ebenso wichtig ist, sie uns selbst zu verzeihen. Dieser Prozess ist die Voraussetzung dafür, uns bewusst vorzunehmen, es beim nächsten Mal besser beziehungsweise den gleichen Fehler nicht noch einmal zu machen. Wir erkennen an, dass wir menschlich und fehlbar sind, tragen also keine überzogenen Erwartungen an uns selbst heran, die wir womöglich nie erfüllen könnten. Daher sind wir in der Lage – wenn wir wieder einmal unzufrieden mit uns selbst sind – ein ehrliches Gefühl der Reue zuzulassen.

Nach einer Weile können wir uns dann wieder davon trennen und den positiven Vorsatz fassen, unsere Fehler zu überwinden.

Mit dieser Haltung ist es uns auch leichter möglich, auf Menschen zuzugehen, gegenüber denen wir uns ungerecht oder falsch verhalten haben, und uns bei ihnen zu entschuldigen. In sehr vielen Fällen werden sich Missverständnisse und andere Unstimmigkeiten auf diese Weise klären lassen.

> Wenn man sich selbst hasst, kann man auch andere Menschen nicht lieben. Und unternimmt man nichts, um diese Einstellung zu ändern, so hat man nur sehr geringe Chancen, Frieden und innere Freude zu finden. Man vergeudet sein Leben, und das ist dumm. Ich sollte das vielleicht nicht sagen, aber es ist die Wahrheit.
> *Dalai Lama*

Allen, die Probleme damit haben, sich selbst aus tiefstem Herzen anzunehmen, empfiehlt der Buddhismus die »Liebende-Güte-Meditation«, mit der sich Selbstzweifel abbauen und Eigenliebe sowie Selbstvertrauen fördern lassen.

Sei liebevoll, sei freundlich,
gehe den Weg der Güte.
Buddha

Der ewige Telefonstress ... und andere »unliebsame« Unterbrechungen

Häufig sind wir im Alltag mit Situationen konfrontiert, die unsere Geduld auf eine harte Probe stellen. Zum Beispiel, wenn das Telefon uns ständig bei der Arbeit unterbricht, sodass wir keinen klaren Gedanken fassen können. Oder wenn wir unter großem Termindruck stehen, weil wir etwas dringend fertigstellen müssen, und ausgerechnet in einem solchen Moment ein Kollege auftaucht, weil er sofort irgendeine Information benötigt. Je mehr wir unter Strom stehen, desto angespannter reagieren wir auf solche Unterbrechungen. Hält die Anspannung über einen längeren Zeitraum an, kann sich ein ungesunder automatischer Mechanismus entwickeln, bei dem allein das Klingeln des Telefons oder irgendeine andere Unterbrechung uns völlig aus der Ruhe bringt und eine starke innere Abwehrreaktion hervorruft. Wenden wir uns zunächst dem Problem des lästigen Telefons zu.

Das Herz für jeden Anrufer öffnen

Zu Hause lassen sich Anrufe in der Regel relativ gut steuern. Wenn Sie für eine Weile nicht gestört werden wollen, können Sie das Telefon leise stellen und den Anrufbeantworter oder die Voice-Mailbox ihre Pflicht tun lassen. Erst wenn es Ihnen zeitlich passt, beantworten Sie die eingegangenen Anrufe. Am Arbeitsplatz hat dagegen nicht jeder die Möglichkeit, zwischendurch einen Anrufbeantworter zu aktivieren, um sich eine gewisse Zeit lang ungestört auf eine bestimmte Aufgabe zu konzentrieren. Falls Sie Telefonaten nicht aus dem Weg gehen können, sollten Sie diese Tatsache mit einer möglichst positiven inneren Haltung akzeptieren, denn sonst fördern Sie das Gefühl der Anspannung und des Gestresstseins zusätzlich. Wenn Sie aber merken, dass Sie immer »allergischer« auf das Telefon reagieren, können Sie die folgende einfache Übung ausprobieren. Damit lässt sich auf äußerst effektive Weise eine Änderung der inneren Haltung herbeiführen.

Wenn das Telefon klingelt, nehmen Sie das Gespräch nicht sofort entgegen, sondern konzentrieren sich auf Ihren Atem. Sie warten ganz ruhig ab, bis es drei Mal geläutet hat. Diese Zeit gehört nur Ihnen. Nutzen Sie sie bewusst, um sich zu entspannen und zu sich zu kommen. Lassen Sie alle Gedanken, die Sie gerade eben noch beschäftigt haben, mit dem nächsten Ausatmen los und öffnen Sie sich für das Anliegen Ihres Gesprächspartners, was immer es auch sein mag. Erst jetzt heben Sie den Hörer ab.

Mit diesem kleinen Trick vermeiden Sie, dass negative Gefühle wie Ungeduld oder gar Zorn entstehen. Vielmehr stimmen Sie sich wohlwollend auf das Gespräch ein und geben so Gelassenheit und Mitgefühl Raum. Außerdem schaffen Sie auf diese Weise eine Basis dafür, sich voll und ganz auf das Telefonat zu konzentrieren. Sie sind bei der Sache, hören dem Menschen am anderen Ende der Leitung aufmerksam zu und verfügen somit über eine größere Klarheit und Überschau, als wenn Sie ihn als lästigen Störenfried empfinden, den Sie möglichst schnell wieder loswerden wollen. Mit einer positiven Haltung lassen sich anstehende Fragen oder Probleme in der Regel viel rascher und besser lösen, sodass Sie sich letztlich schneller wieder Ihren anderen Aufgaben widmen können.

Und hier noch ein zusätzlicher Tipp: Stellen Sie Ihr Telefon, wenn möglich, auf eine angenehme Lautstärke ein. Allein das macht das Klingeln schon viel erträglicher und hilft, Stress zu vermeiden.

Gelassen bleiben

Beim klingelnden Telefon haben Sie es selbst in der Hand, sich eine ganz kurze Atempause zu gönnen, bevor Sie den Hörer abnehmen. Aber wie können Sie reagieren, wenn ein Kollege Sie in einem unpassenden Moment plötzlich mit einem dringenden Anliegen »überfällt«, Ihr Partner oder Ihr Kind unbedingte Aufmerksamkeit einfordern, während Sie gerade das Essen vorbereiten oder einen wichtigen Brief schreiben? Falls Sie sich ohnehin schon gestresst und überfordert fühlen, kann Ihnen das, wenn Sie nicht aufpassen, in diesem Moment zusätzlich Energie rauben. Doch auch hier gibt es einen kleinen wirksamen Trick, um sich im wahrsten Sinne des Wortes »Luft zu verschaffen«.

Selbst während Ihr Gegenüber mit Ihnen spricht, konzentrieren Sie sich für einen kurzen Moment bewusst auf Ihre Atmung. Versuchen Sie es einfach mal. Sie werden sehen, dass es geht. Atmen Sie ein Mal bewusst aus und lassen Sie dabei alles los, womit Sie sich bis vor einer Sekunde noch beschäftigt haben. Beim nächsten Einatmen tanken Sie neue Energie sowie die innere Bereitschaft, sich wohlwollend auf das Gespräch mit Ihrem Gegenüber einzulassen. Wenden Sie sich ihm nun mit Ihrer vollen Aufmerksamkeit zu.

Sie werden feststellen, dass Sie dem anderen Menschen nun viel offener und entspannter begegnen können, und sei es auch nur, um ihm – falls die Situation dies erlaubt – ganz freundlich zu sagen, dass Sie im Moment noch etwas Dringendes zu erledigen haben, in einer halben Stunde aber sehr gern für ihn da sein werden.

Wenn man dich verleumdet oder beschimpft,
übe deinen Geist folgendermaßen: Bewahre im
Inneren Gleichmut und gib nicht mit gleicher
Münze heraus. Gib allen Groll auf und sieh in der
Feindseligkeit deines Gegenübers einen Ansporn,
dein Verständnis zu vertiefen. Sei sanftmütig und
weitherzig, behandle deinen Feind wie einen
Freund. Durchdringe deine ganze Umgebung mit
Gedanken liebender Güte, lasse deine Gedanken
uneingeschränkt und grenzenlos und frei von
Hass sein. Versuche, in dieser Geisteshaltung zu
verweilen.

Buddha

Die Kunst, mit schwierigen Menschen umzugehen

Es gibt unzählige Situationen in unserem Alltag, in denen andere Menschen uns zur Projektionsfläche ihrer eigenen schlechten Laune machen. Manchmal werden wir völlig unvermittelt mit aggressivem Verhalten, Ungeduld, Rücksichtslosigkeit und hin und wieder sogar mit regelrechter Niedertracht konfrontiert. Und häufig wissen wir nicht einmal, warum sich die Wut des anderen gerade an uns entzündet, vor allem wenn wir uns keinerlei Schuld bewusst sind.

Stellen Sie sich zum Beispiel einmal die folgende Situation vor: Sie haben auf der Autobahn gerade zu einem Überholmanöver angesetzt, da taucht plötzlich ein Wagen hinter Ihnen auf, fährt mit hoher Geschwindigkeit sehr dicht an Ihr Auto heran, bedrängt Sie aggressiv mit der Lichthupe und während Sie rechts einscheren, zeigt der Fahrer Ihnen auch noch einen Vogel. Wie reagieren Sie? Erwidern Sie seine Beleidigung mit einer wütenden Geste, schimpfen Sie laut vor sich hin und ärgern sich über das Verhalten des anderen?

Oder wie wäre es mit dieser Situation: Ihr Chef stürmt aufgebracht in Ihr Büro und macht Sie wegen einer Kleinigkeit völlig ungerechtfertigt zur Schnecke. Welche Reaktion löst das bei Ihnen aus? Und wie verhalten Sie sich, wenn Sie nach der Arbeit müde nach Hause kommen und Ihr Partner oder Ihre Partnerin Sie schon beim Betreten der Wohnung wegen eines offensichtlichen Missverständnisses mit Vorwürfen überhäuft, sodass ein Streit unvermeidlich scheint?

Aus einer buddhistischen Perspektive sollten wir versuchen, Gleichmut zu entwickeln, und unsere innere Balance bewahren, wenn wir mit schwierigen Menschen zu tun haben. Wir sollten den anderen nicht als Widersacher oder gar als Feind sehen, denn das ist ein Bild, das allein unserer Vorstellung entspringt. Der Buddhismus lehrt uns, dass es keinen Bestand hat und nicht aus sich heraus existiert. Allein unser Geist entwickelt solche künstlichen Phänomene. Doch wir erliegen häufig dieser Täuschung und halten sie für real. Anstatt verärgert, verzweifelt oder ungehalten auf den Zorn, die Ungeduld oder die Missgunst eines anderen Menschen zu reagieren, sollten wir erkennen, wie töricht er handelt. Sein Geist wird dominiert von Gefühlen wie Hass, Wut oder Furcht, und das führt dazu, dass er seinen Mitmenschen schadet. Doch je mehr Leid er anderen zufügt, desto mehr Ursachen für eigenes Leid sammelt er aufgrund des karmischen Gesetzes an. Er ist der Besitzer seines Karmas, daher hängt sein Glück von seinem Handeln ab. Jeder Gedanke, jedes Wort und jede Tat beeinflusst sein Karma. Und möglicherweise handelt er unter anderem auf eine so negative Weise, weil negatives Karma auf ihm lastet (siehe dazu auch das Kapitel »Karma«, S. 39).

Sobald wir uns diesen Zusammenhang bewusst machen, können wir Mitgefühl für unsere scheinbaren Widersacher entwickeln und uns in einem nächsten Schritt wünschen, dass es ihrem Geist gelingen möge, sich von Hass, Wut oder anderen negativen Gefühlszuständen zu befreien. Mit dieser inneren Haltung kann es uns gelingen, viel gelassener mit gestressten, aggressiven oder missgünstigen Menschen in unserem Umfeld umzugehen und ihnen zu signalisieren, dass wir ihnen offen und wohlwollend begegnen.

Zur Förderung des Mitgefühls und einer wohlwollenden Haltung gegenüber anderen empfiehlt der Buddhismus auch in diesem Fall die »Liebende-Güte-Meditation« (siehe Seite 65).

Hass wird nie durch Hass beendet – nur die Liebe kann Hass überwinden. Dies ist ein ewiges Gesetz.
Buddha

Wenn wir uns dazu entschließen, dem Prinzip von Ursachen und Bedingungen gemäß zu leben, dann begreifen wir, dass wir uns nicht den Luxus erlauben dürfen, rücksichtslos mit der Welt umzugehen. Wir können nicht, in der Hoffnung, dass alles schon irgendwie gut enden wird, auf negative Weise handeln.

Sakyong Mipham

Ethisch handeln

Die buddhistische Lehre vom »bedingten Entstehen« macht deutlich, dass in der Welt, so wie wir sie wahrnehmen, alles miteinander in Verbindung steht. Nichts existiert getrennt für sich allein. Daher sollten wir uns selbst auch nie isoliert von allem anderen betrachten. Die Tatsache, dass wir auf der Welt sind, unsere gegenwärtige Lebenssituation, die Art, wie wir Dinge sehen oder wie wir fühlen, ist das Resultat einer komplexen Verkettung von Ursachen und Wirkungen. Folglich hat auch jeder unserer Gedanken und jede Handlung eine Wirkung, die wiederum zu neuen Bedingungen und Ereignissen führt.

Sobald wir diese Gesetzmäßigkeit erkennen, wird klar, dass wir uns selbst und anderen gegenüber eine Verantwortung haben. Wie können wir einfach die Augen verschließen und eine gleichgültige Haltung einnehmen, wenn unser Denken und Tun Konsequenzen für unser eigenes Leben und das aller anderen Wesen auf der Welt hat?

Der buddhistischen Lehre zufolge zeugt es von einer verblendeten Sichtweise, sich aus egoistischen Motiven anderen gegenüber rücksichtslos oder gleichgültig zu verhalten. Wenn wir nur auf unseren eigenen Vorteil, auf unser persönliches Wohlergehen bedacht sind und meinen, die anderen »gingen uns nichts an«, täuschen wir uns gewaltig.

Wir blenden ihr Schicksal lediglich aus und ignorieren die Tatsache, dass wir alle miteinander verbunden sind. Aufgrund dieser Täuschung lassen wir Gefühle der Selbstbezogenheit und des Getrenntseins dominieren und schaffen damit die Basis für Konflikte, Intoleranz, Ungerechtigkeit und Feindseligkeit. Außerdem nähren wir mit unserem Verhalten unser negatives Karma und säen auf diese Weise den Samen für unser eigenes Leid.

Der Buddhismus zeigt uns, dass uns das Wohlergehen der anderen nicht egal sein darf und lehrt uns einen rücksichtsvollen und achtsamen Umgang mit der Welt (siehe auch »Der Edle Achtfache Pfad«, S. 27). Die bereits mehrfach erwähnte »Liebende-Güte-Meditation« (siehe S. 65) hilft uns dabei, unser Gefühl des Getrenntseins zu überwinden, das uns häufig daran hindert, Mitgefühl für das Leid anderer zu empfinden. Wenn wir den Gedanken der Gemeinsamkeit aller Menschen und Wesen in uns fördern, anstatt uns auf die Unterschiede zu fixieren, schaffen wir eine wichtige Grundlage dafür, uns ethisch gut zu verhalten. Auf diese Weise können wir uns bemühen, uns von Gefühlen wie Gier, Neid oder Missgunst zu verabschieden und im Gegenzug Toleranz, Großzügigkeit, Mitgefühl und Wohlwollen zu entwickeln.

Mithilfe der nächsten praktischen Übung richten wir uns bewusst darauf aus, die richtigen Entscheidungen zu treffen, um unser Ziel, ethisch gut zu handeln, möglichst beherzt zu verfolgen.

Gehen Sie abends bereits mit dem Vorsatz zu Bett, mit einem offenen und neugierigen Geist aufzuwachen.

Wenn Sie am nächsten Morgen wach werden, recken und strecken Sie sich im Liegen zunächst etwas, um den Schlaf abzuschütteln.

Dann richten Sie Ihre Aufmerksamkeit ein paar Atemzüge lang auf das Kommen und Gehen Ihres Atems (ausführliche Anweisungen dazu finden Sie auf S. 55).

Machen Sie sich nun innerlich dafür bereit, der Welt an diesem Tag offen, neugierig und positiv zu begegnen. Nehmen Sie sich vor, ethisch gut und richtig zu handeln und Ihre Entscheidungen danach auszurichten.

Stellen Sie sich dazu die folgende Frage: »Wie lenke ich meine Entscheidungen richtig?«

Sie können zum Abschluss der Meditation auch die folgende Affirmation (Bekräftigung) formulieren: »Ich werde mich heute bemühen, die richtigen Entscheidungen zu treffen.«

Jeder, der dem Pfad der Selbstlosig-
keit folgt, kann die Segnungen
eines Lebens der Wahrheitssuche
erfahren. Wenn du an deinem
Reichtum haftest, dann ist es besser, ihn wegzuwerfen als davon im
Geist vergiftet zu werden. Wenn
du aber nicht daran haftest, kannst
du den Menschen von Nutzen
sein. Nicht Macht und Geld ver-
sklaven die Menschen, sondern
das Haften daran.
Buddha

Ist Reichtum verwerflich?

Buddha zufolge ist materieller Besitz prinzipiell kein Hindernis auf dem Pfad spiritueller Entwicklung. Zwar entsagte er selbst einem Leben in Reichtum und Überfluss und wandte sich der strengen Askese zu, später erkannte er jedoch, dass keins der beiden Extreme zur Erleuchtung führt. Stattdessen rät er uns, dem »Mittleren Weg« zu folgen (siehe auch S. 25). Es ist also an sich keineswegs verwerflich, über Geld oder Macht zu verfügen. Allerdings sollten wir unbedingt zwei Dinge beachten:

Zum einen sollten wir unseren Besitz auf eine ethisch gute Weise erwirtschaften. Der Edle Achtfache Pfad fordert uns dazu auf, für einen »Rechten Lebenserwerb« zu sorgen. Demnach dürfen wir mit unserer beruflichen Tätigkeit kein Unrecht begehen oder anderen Wesen schaden.

Zum anderen ist entscheidend, wie wir mit Besitz und Macht umgehen. So wie bei allen anderen Dingen gilt auch hier, dass wir nicht daran anhaften sollten. Wir müssen darauf achten, unsere Gier nicht zu fördern und unseren Besitz verantwortungsvoll zu nutzen. Wir sollten uns darüber klar werden, dass es auf der Welt soziale und wirtschaftliche Ungerechtigkeit gibt und dies häufig zu extremem Unfrieden und großer Feindseligkeit führt. Wenn wir finanziell in einer privilegierten Situation sind, haben wir gemäß der buddhistischen Lehre die moralische Verpflichtung, auch an andere zu denken und dazu beizutragen, dass die Kluft zwischen Arm und Reich sich verringert. Wir sollten großzügig sein und gleichzeitig weise handeln. Wir sind daher dazu aufgefordert, andere auf eine sinnvolle Art und Weise zu unterstützen und ihr Leid damit zu mindern. Wir alle sind verantwortlich für die Zustände auf dieser Welt und sollten uns unserer Verantwortung bewusst stellen. Auf diese Weise tragen wir zur materiellen Stabilität bei, die eine Grundvoraussetzung für soziale Harmonie ist. Außerdem mehren wir so unseren inneren Reichtum und unser positives Karma.

Reichtum ist weder gut noch schlecht, so wie das Leben weder gut noch schlecht ist. Alles hängt davon ab, was man damit anfängt. Wenn man Reichtum auf ungesetzliche Weise erwirbt und ihn nur für sich selbst verwendet, wird er nicht zu mehr Glück führen.

Entsteht Reichtum aber so, dass andere dabei keinen Schaden erleiden, dann kann man sich ruhig daran freuen. Doch sollten wir dabei nicht vergessen, welche Gefahr es birgt, am Reichtum zu hängen. Daher sollten wir ihn für gute Zwecke mit anderen teilen. Wenn wir dabei im Auge behalten, dass es dabei weder um Reichtum geht noch um den guten Zweck, sondern einzig um das Freiwerden von Anhaftung und Wünschen, dann wird der Reichtum wahres Glück erzeugen. Daher sollten wir Reichtum nicht nur um unser selbst willen pflegen, sondern zum Wohl aller fühlenden Wesen.

Buddha

Der Tod ist ein tiefes Geheimnis;
zwei Dinge können wir aber über
ihn sagen: *Es ist absolut sicher,
dass wir sterben werden, und es ist
unsicher, wann oder wie wir sterben
werden.* Die einzige Sicherheit, die
wir haben, ist die Unsicherheit
hinsichtlich unserer Todesstunde.
Das ist unsere Ausrede, um die
direkte Auseinandersetzung mit
dem Tod immer wieder aufzuschie-
ben. Wir sind wie Kinder, die sich
beim Versteckspielen die Augen
zuhalten und glauben, nun könne
niemand sie sehen.
Sogyal Rinpoche

Meditation über die eigene Vergänglichkeit

Die folgende Meditationsübung können wir nutzen, um der buddhistischen Empfehlung zu folgen, uns mit der grundsätzlichen Vergänglichkeit allen Seins und unserem eigenen Ende anzufreunden (siehe auch das Kapitel »Vergänglichkeit und Tod« auf S. 43).

Nehmen Sie eine bequeme Meditationshaltung ein. Richten Sie Ihre Aufmerksamkeit auf das Kommen und Gehen Ihres Atems (eine genauere Anleitung dazu finden Sie auf S. 55). Wenn Sie innerlich ruhig geworden sind, denken Sie an die unaufhörlichen Veränderungen, das ständige Werden und Vergehen in der Welt. Lassen Sie dann den Gedanken an Ihren eigenen Tod zu. Machen Sie sich bewusst, dass Sie den Zeitpunkt Ihres Todes nicht kennen und nicht wissen, wie viel Zeit Ihnen bleibt. Das Leben ist kostbar, selbst wenn Sie ein hohes Alter erreichen. Welche Gedanken und Gefühle entstehen angesichts dieser Vorstellung bei Ihnen? Versuchen Sie sich darüber klar zu werden, was Ihnen im Leben wirklich wichtig ist. Wie möchten Sie die Zeit, die Ihnen geschenkt wird, gestalten? Wie können Sie sich für das Wohl anderer Wesen einsetzen?

Die Geschichte der zwei uralten Brahmanen

Einst kamen zwei sehr alte Brahmanen zum Buddha, beide 120 Jahre alt. Sie setzten sich vor ihn hin und sagten: »Wir sind Schriftgelehrte, dabei schon alt und gebrechlich. Wir haben nichts besonders Edles oder Gütiges getan, daher gibt es jetzt nichts, was unsere Furcht vor dem Tod mindern könnte. Bitte zeigt uns den Weg zu wahrem Glück.«

Und der Buddha antwortete ihnen: »Ja, ihr Brahmanen, ihr seid wirklich alt und hinfällig geworden, und nun habt ihr Angst vor dem Sterben. Die Welt besteht aus Alter, Krankheit und Tod. Doch wenn ihr Einsicht in eure Taten gewinnt, Kontrolle über eure Worte erlangt und fähig seid, eure Gedanken leidenschaftslos zu betrachten, dann wird euch dies Trost und Zuflucht spenden.

Eure Lebensspanne ist nahezu um. Niemand ist gefeit vor Alter und Tod. Denkt an den Tod, und den Tod im Geist behaltend vollbringt gute Taten, die anderen Wesen Glück bringen. Wer Gutes tut und achtsam bleibt, der bringt Körper, Rede und Geist in harmonischen Einklang. Und dabei entdeckt er, dass er den Tod nicht fürchten muss, weil er nur weiteres Glück bringt.«

Quellenverzeichnis und weitere Leseempfehlungen

Die in diesem Buch verwendeten Zitate stammen aus den folgenden Werken:

Weisheiten des Buddha. Hrsg. v. Anne Bancroft. Übers. v. Elisabeth Liebl. Deutscher Taschenbuch Verlag, München 2002 (dtv 36296)

Dalai Lama: *Ratschläge des Herzens*. Übers. v. Ingrid Fischer-Schreiber. Diogenes Verlag, Zürich 2003

Sakyong Mipham: *Den Alltag erleuchten. Die vier buddhistischen Königswege*. Übers. v. Maike und Stephan Schuhmacher. Deutscher Taschenbuch Verlag, München 2007 (dtv 24586)

Matthieu Ricard: *Meditation*. Übers. v. Astrid Schünemann-Williot u. Michael Wallosek. nymphenburger, München 2009

Drukpa Rinpoche: *Tibetische Weisheiten*. Hrsg. v. Jean-Paul Bourre. Übers. v. Stephan Schuhmacher. Deutscher Taschenbuch Verlag, München 8. Aufl. 2007 (dtv 36143)

Sogyal Rinpoche: *Funken der Erleuchtung. Buddhistische Weisheit für jeden Tag des Jahres*. Übers. v. Thomas Geist. O.W. Barth, Bern, München, Wien 2. Aufl. 1996

Weitere Leseempfehlungen

Ditte und Giovanni Bandini: *Als Buddha noch nicht Buddha war. Geschichten aus früheren Existenzen des Erleuchteten.* Deutscher Taschenbuch Verlag, München 2006 (dtv 34352)

Joan Duncan Oliver: *Auf einen Kaffee mit Buddha.* Übers. v. Bettina Lemke. Deutscher Taschenbuch Verlag, München 2008 (dtv 34514)

Rolf Herkert. *Das kleine Yoga- und Meditationsbuch.* Deutscher Taschenbuch Verlag, München 2007 (dtv 34385)

Sakyong Mipham: *Wie der weite Raum. Die Kraft der Meditation.* Übers. v. Maike und Stephan Schuhmacher. Deutscher Taschenbuch Verlag, München 2005 (dtv 24445)

Rob Nairn: *Mit dem Drachen fliegen. Ruhe und Klarheit durch Buddhismus und Meditation.* Übers. v. Elisabeth Liebl. Deutscher Taschenbuch Verlag, München 1997 (dtv 36070)

Ders.: *Auf den Spuren des erleuchteten Drachen. Buddhistische Meditation.* Übers. v. Elisabeth Liebl. Deutscher Taschenbuch Verlag, München 2000 (dtv 36201)

Thich Nhat Hanh: *Wie Siddharta zum Buddha wurde. Eine Einführung in den Buddhismus.* Übers. v. Ursula Richard. Deutscher Taschenbuch Verlag, München 2004 (dtv 34073)

Ders.: *Nimm das Leben ganz in deine Arme. Die Lehre des Buddha über die Liebe.* Übers. v. Karin Siebert. Deutscher Taschenbuch Verlag, München 2006 (dtv 34281)

Sylvia Wetzel und Karin Burschik: *Hoch wie der Himmel, tief wie die Erde. Meditationen zu Liebe, Beziehungen und Arbeit.* Deutscher Taschenbuch Verlag, München 2. Aufl. 2007 (dtv 34103)

Dank

Ich danke dem gesamten Sachbuchlektorat des Deutschen Taschenbuch Verlags für die großartige und immer wieder inspirierende Zusammenarbeit sowie die fortwährende Unterstützung und besonders Brigitte Hellmann für die zuvorkommende und entspannte Bearbeitung dieses Projekts.